文學的經典·永遠的黃書背

寫在聯合文學·經典版之前

走過四分之一世紀，華文世界最重要的文學資產。
聯合文學的黃書背，儼然光榮的標誌！
不僅爲文學之經典，更開啓跨世代的閱讀視野。
此次精選珠玉中的珠玉，瀏亮新裝、隆重再版，
開創下一輪文學不凡盛世。

行道天涯

◉平路／著

文學的經典．永遠的黃書背

聯合文叢 489

孫中山、宋慶齡的革命與愛情故事

行道天涯

聯合文學・經典版系列

目次

【經典版代序】重塑偉人血肉／王德威……19
【代序】我被這小說寫了一回／平路……25
行道天涯……33
【經典版評述】歷史人物的絕對孤寂之境／楊照……235

（經典版代序）重塑偉人血肉

王德威

平路是當代臺灣小說最重要的作家之一；她的知性風格和歷史關懷尤其讓她的作品獨樹一幟。一九九四年，平路寫出《行道天涯》。這是她的第一本長篇嘗試，所投注的心力爲前所僅見。更重要的是，小說描述國父、國母孫中山、宋慶齡伉儷的私密情事，自然要引來陣陣側目眼光。

爲了寫作《行道天涯》，平路下了相當準備功夫。小說提供極多不足爲外人道的史料，讓我們重睹孫中山與宋慶齡的黃昏之戀。平路的挑戰是艱鉅的：在我們熟知的政史紀錄以外，她要爲國父寫外傳，但又雅不欲流於蒐祕醜聞的報導；對應新聞採訪、歷史考據的實證式要求，她也必得預留想像空間，讓「小說者言」發揮另一種逼眞的魅力。尤其令人注目的，作爲九〇年代一位關愛台灣的女性知識分子作家，平路要怎樣尋求有利觀點，切入大中國的論述，並且還給女性聲音一個公道的位置？

一頁頁國民黨版的建國史，載滿了十次革命、碧血黃花的英雄事蹟。而位於正史敘述中心的，正是我們的國父。以父之名，孫中山是怎樣被寫成民主革命的先知，三民主義的先知，三民主義的本尊！而平路要告訴我們，孫先生的革命道路從來不是平順的。背叛、陰謀、政變、黨爭與他生命共相始終；作爲一位政治家，他其實常在權力圈外的。公眾形象之後，還有一位孫中山：浪跡四海、風流少恩。在解救中國同胞的同時，他已辜負了不少女同胞呢。平路的敘事者不禁嘆道：「即使一名小說作者，在描述先生眞實面目的此刻，都不斷要與心中另一重莊嚴的聲音對抗。那是先生冥誕時響遍台灣中小學各個操場的〈國父紀念歌〉：啊！我們國父，首創革命，革命血如花！」

在國父龐大的歷史身影後，還有那出身傳奇家庭的國母。宋慶齡來自上海巨室宋氏家族，當年以二十三歲的青春之身，下嫁五十開外的孫中山。這段姻緣有人謂之爲忘年佳話、有人謂之爲政治聯姻。宋因仰慕孫文的革命抱負而許身，在婚後卻飽嘗顚沛，甚至爲躲避陳炯明的叛變，流失唯一一次的妊娠。一九二四年孫中山溘然去世，留下年輕的慶齡夫人。然後呢？她堅此百忍，繼承亡夫遺志參與政治。她身價扶搖直上，到了三、四〇年代，已是新民主革命的精神母親，與她的妹妹蔣宋美齡夫人分庭抗禮。國民黨號稱是孫中山的嫡傳宗派，共產黨也可自封爲慶齡夫人的欽命正朔。一九四九年後，毛澤東建國當家，更得捧著國母號召天下。

但平路告訴我們，這一切就算不是假的，卻也眞不了。孫宋的婚姻到底內情若何？三〇年代孀居的宋慶齡與楊杏佛、鄧演達的傳聞恐怕不是空穴來風。還有她晚年與小她三十好幾的「生活祕書」一段深宮之戀，早是公開的祕密。原來國母還有這許多不足爲外人道的幽幽心事；原來在她中年以後，日益發福的龐然身軀內，還潛藏著總難排解的兒女情懷。兩岸的國家歷史要爲尊者諱，平路卻要將孫、宋請下神壇，重塑他們的血肉。

如前所述，解嚴後爲政治人物寫翻案文章，我們已是見怪不怪。平路憑藉著什麼，使她的孫中山、宋慶齡傳奇獨樹一幟？不同的歷史「說法」必須經由不同的敘事模式來支撐。在大歷史仍是國家政黨的禁臠時，小說成爲對話的利器。不僅此也，一反那莊嚴的，男性的（？）敘史高姿態，平路選擇了女性的角度與聲音相與抗衡。她的敘事者優游不同歷史場域，進入人物意識，構造成一時空座標交錯、公私領域合流的敘述體。大歷史誇張政治欲望，她的歷史要書寫情愛欲望。

小說情節至少分四個層次進行。國父最後三個月的生命行止，按照順時時序居中進行。孫夫人的回憶想像則是跳躍流轉，包羅了一生的大小事蹟。除此，平路創造了珍珍——夫人情人S的女兒——作爲引導進入過去的媒介。更在此之外的，當然是敘事者忽近忽遠的聲音。那男性的君父的情節場景，儼然被包裹在重重女性視野及詮釋中。而過去必得由現在來背書。如今飄流海外的珍珍是我們進入歷史迷宮的線索，但那耽於臆想的台灣作者才是眞正追記似水華年的主角。在這歷史漫漶的年月裡，大道不再行於中州，天涯也可近在咫尺。《行道天涯》骨子裡是本反思時間、重寫記憶的小說。明乎此，這本書才眞正顯露在世紀末台灣出現的意義。

有心的讀者可以細看平路在《行道天涯》中，如何一點一滴的拆解政治神話。偉人後半生的行止竟充滿了無可奈何的流徙與自欺，而他有名的臨終遺言，「和平、奮鬥、救中國」，可能是一場人云亦云的誤會。女性主義者則應該就著宋慶齡的感情歷練，建立又一種現代中國女性的欲望論述。她年輕時嫁給老得可以作爸爸的總理，年老時愛上了小得可以作兒孫的侍從。這是怎樣權力與欲望的錯置故事啊。在一個極度誇張禁欲的共產時代裡，母儀天下的宋慶齡艱難地找尋情愛依託，而且愛屋及烏，竟收養了情人的兩個女兒。風裡來、浪裡去，革命的口號叫得再震天價響，嚇不倒這位老婦人。她確是一位「眞正的」革命女性。

然而一切的政治或情欲掙扎或辯證，都要隨時間的流逝，灰飛煙滅。緬懷前輩人物不可言說的祕辛軼事，平路發展了小說家獨有的想像力量。她的敘述是由一張照片開始，攝製的時間是一九二四年十一月三十日。由神戶起碇的「北嶺丸」上，孫先生與夫人匆匆留下一張小影。照片中的先生暮氣沉沉，而有病容。身旁的夫人身著皮帽皮衣，雙眉微蹙，望著另一方向。兩人各有所思，而一殺那間的失神凝眸，被開麥拉眼凍結成一幀歷史寫眞。

照片的魅力，在於其留存映象，召喚視覺的記憶。藉著「寫眞」，我們彷彿與過往的時地再續因緣。那膠片上的一人一物都似乎捕捉了一種意義，一種生命流變中原無法定格的意義。但是批評家們已一再告訴我們，相片的魅力是一種蠱惑，一種擬戲。它「寫」眞的同時已銘刻了無限的想像符號、欲望軌跡。被攝入膠片的映象看似栩栩如生，但無一細節不訴說著時間的流淌，生命的消失。蘇珊・宋坦（Susan Sontag）在有名的《論攝影》（*On Photography*）中寫道，照片是一種「悼亡的藝術」[1]。而羅蘭・巴特（Roland Barthes）更指稱照片的寫實幻象下，蘊藏了「一種創傷：語言的懸宕，意義短路」[2]。只有藉著不斷命名（naming）的過程，我們向照片逝去的人事招魂，爲播散的意義復元。

平路的小說敘事於焉登場。孫中山與宋慶齡的起程照片也啓動了平路的文字之旅。孫宋所航向的將是死亡，是壯志肉身的銷毀，是一段歷史的終結。平路好生的渲染了照相美學所透露的感傷特質，但她小說敘述所要作的，卻是起死回生。照片或歷史寫眞所凝結的生命悸動，要由文字來抒解。那映象裡侷促的一顰一笑，要由寫作者代爲詮釋渲染。但更重要的是，二十世紀中國由映象／寫實主義代表的寫作傳統，也須因此而受質疑。

文學史總是告訴我們，現代文學是因爲一場「逼眞」的視覺震撼而開始：魯迅因爲看了那張有名的日軍砍中國人頭的幻燈片，因此促生了他寫作的欲望。寫作是再現、回歸那斷裂現實的努力。九〇年代的平路看照片說故事，卻要否定任何寫實再現的迷思。她意味深長的告訴我們，孫中山逝世的當兒，某位目擊者惋惜自己的攝影器材毀於兵亂，以致「如此要事、而絕不見攝影者、中山死後、並未留影、蓋皆心亂、無人想及」。

逝者已矣，照相存眞、新聞紀實，甚或歷史考證，又能留下多少眞相？回憶的吉光片羽、官能的偶然震慄，才更直指那不可復追的往日情懷吧？平路筆下宋慶齡的世界支離破碎，充滿流動意象或臆想。沉浸在千迴百轉的記憶線索中，宋慶齡幽幽的跨越時光隧道，重新銘記她的過去與現在。而在隧道的彼端，平路又何嘗不被牽引、誘惑進入那神祕的黑洞？

歷史竟是可以這樣寫就的。宣傳照片中肥胖的宋慶齡採棉花、抱嬰兒的留影，因此也越發失眞了。小說的第五十四節更藉珍珍口吻寫道：「尤其恐怖地是紀念畫冊裡，有一張媽太太化好了妝躺在玻璃棺材裡的相片，前排站著許多面容悲悽含著眼淚的小朋友行舉手禮，圖片說明是：『孩子們向慈愛的宋奶奶告別。』」

歷史上的宋慶齡早在一九二四年那張登船照片中就「死過」了。她從彼時開始，就要準備扮演從遺孀到聖母的角色，並且隨政治波動，一再被重塑金身。《行道天涯》反其道而行，以娓娓無盡的敘述爲木乃伊化的孫中山、宋慶齡接骨造肉。這是一場華麗文學冒險，而藉著這冒險，平路也再一次申說了她的抱負。

注釋：

1 Susan Sontag, *On Photography* (London: Allen Lane, 1978), p. 138.

2 Roland Barthes, "The Photographic Message", *Camera Lucida: Reflections on Photography* (N. Y.: Hill and Wang, 1978), p. 30.

（代序）我被這小說寫了一回

平路

寫這部長篇小說的時日，我活在一個想像的牢籠裡。

依照阿根廷作家波赫士的講法，十三世紀末，有一隻笨笨的豹子，從清晨到日暮，牠望著眼前的厚牆與鐵柵欄，牠覺得透不過氣，體內有一些翻攪的東西讓牠坐立不安。一天，上帝出現在牠夢中，對牠說：「你忍受監禁，只爲了將有人把你的樣子傳述進一首詩，那首詩在宇宙間有明確的位置，你長年幽閉在牢裡，目的僅僅在替那首詩提供一個字。」夢中，豹子明瞭了上帝的用心、也接受了牠自己的命運；然而牠醒過來之後，旋即又忘記了自己是做什麼的，只感覺到某種模糊的屈從，最多還有一些茫茫然的勇敢。畢竟，對這隻笨笨的豹子而言，去思考什麼宇宙意義之類的事情是過於複雜了……

同樣地，憑我有限的腦力，我確實也想不出來，當初，爲什麼選一個極其吃力的題材，著手寫長篇小說？

爲的就是把中山先生最後幾個月的旅程嵌進小說嗎？幾年來，就心思上的耗損而言，寫作的過程艱苦地像革命事業：先是夜以繼日，閱讀所有搜集到的近代史書籍，接著，對宋慶齡女士的生平事跡包括她的愛情、她的滄桑，她女性纖巧的心思，發生無比的興趣，我地毯式地到處找關於當年的蛛絲馬跡，來去上海、北京、香港、美國尋覓資料，在莫斯科也偶有所獲。資料濃縮又濃縮，作爲故事的背景，實際下筆了，是情深必墜吧？我愈來愈在往返兩個時空之間迷航。尤其快要成書之前的兩年，關在自己的書房裡我經常忽忽若狂，或者說，瘋狂與清明繫於一線——只要跨過一條線，我就不是自己，而是孫逸仙、是宋慶齡，發痴的時刻，我看著一張張昔日的面孔在眼前呼之欲出，又於牆壁間悄悄隱去。時常我有兩三星期足不出户的紀錄，不發一言一語度日；夜半，我坐起身來，瞪著手上湮黃的相片試想小說人物的心境。

也是第一次，我證明自己可以如此堅貞，我就是要找到我的小說人物！穿越死亡，我決意要把不滅的靈魂帶回來！彷彿倒溯一條阻隔幽冥的河流，摹擬著瀕臨死亡的心境，我感覺一寸寸地接近他們，愈到後來，隨著孫先生病篤的場景，一層一層，我的心情像在走自己最後的旅途。

快要寫完時，竟害怕會突然若有所失——好似要與朝夕相處的人永訣，怕關上了一扇門，就會被小說裡的人物拋棄在生命外面，或者更精確地說，獨獨把我留在生命裡面！

彷彿是某種宿命，完稿後一個星期內，我因公務長途旅行，冰寒的土地上，眞眞正正，與死亡打了一個照面。

大慟之後，自己知道，暫且，是不能夠再開始一個長篇小說了。

我是得而復失或者失而復得？失去了寫作長篇的專注，也不再被死亡的意象密密匝匝地籠罩著，生命畢竟是可喜的，我又回到所謂正常生活的軌跡裡。曾經，就像那夢中的豹子，上帝試圖告訴過我一些什麼？轉醒來之前，我只是忘記了，上帝自有祂的用意，寫出來一部必將引起爭議的長篇小說可能存著超出我理解範疇的隱喻。

唯一確定的乃是身爲作者，自己生命的內容確實被寫這本書的歷程所更動；而幾年下來，我生命的改變，必然也如實地記錄進這本小說裡。

事實上，過去三、四年間，像是中了蠱，明明不是「我」在寫小說，是「我」被這小說寫了一回。從此，我至少清楚地知道，知道著魔到發狂是怎麼回事！

寫於一九九四年《行道天涯》出版前

宋慶齡與孫中山的結婚照

1917年在上海拍攝的宋慶齡全家照。前排：宋子安，第二排右起：宋慶齡、宋子文、宋靄齡；後排右起：宋美齡、倪桂珍、宋耀如（宋查理)、宋子良。

青年時代的宋慶齡（中）與姐姐宋靄齡（左)、妹妹宋美齡（右）在一起。

浪跡海外的宋慶齡

1927年宋慶齡在莫斯科與
鄧演達（右二）合影。

1949年後的宋慶齡

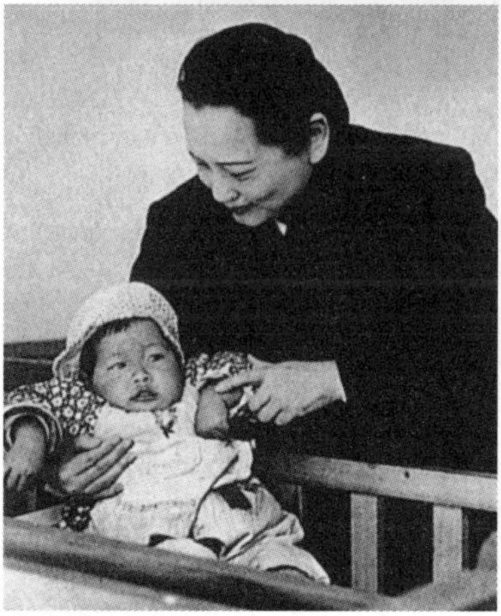

宋慶齡的樣板照

宋慶齡的樣板照

1924年11月30日，宋慶齡與孫中山在最後的旅程中，小說就從這張照片開始上溯。

1

想要進入先生的最後一段旅程，只因為那段旅程令人如醉如痴：如果替旅程選個起點，不如就從一張甲板上的相片開始上溯。時間是一九二四年十一月三十日，拍攝的當時，同行的隨員之一曾經由口袋裡掏出懷錶，望了望，十點差三分，在船啓碇前的「北嶺丸」上，拍下這張有紀念性的小照。

相片中，先生的眼神憂戚，著馬褂棉袍的唐裝，一手拿灰色的氈帽，一手鬆鬆地拄著拐杖，臉上暮氣深重。兩個星期以前，也就是十一月十七日那一天，先生抵達此行另一個靠岸的港口上海，當地〈文匯報〉的記者寫道：「孫氏近來老境愈增，與民國十年見彼時判若兩人，髮更灰白，容貌亦不若往日煥發。」從相片拍攝時算起的四天，先生就到了航行的終站天津，天津的報紙形容他：「面目黧黑。鬢髮斑白。非復前此之豐姿。」事實上，此行以來，各報記者都一再記述先生的委頓神情，有些報紙甚至以他娶少艾之妻不思寶愛身體來取笑。

細看這張在日本神戶碼頭的相片，就會明瞭凸顯他老態的尤其是老夫少妻的對比：照相的時候，站在先生身旁的宋氏慶齡頭微微地斜向一側，戴著一頂皮帽，身上是灰鼠大衣，腳下踩著尖頭窄細高跟的皮靴，細看的話，她微蹙的眉間顯得幽怨，那是屬於春日凝妝少婦的一抹愁情。

下一刻，或許看到了遠遠的六甲山，憶起年輕時候留下的足跡，先生一個人走向船頭，就在「北嶺丸」即將開航的神戶四號碼頭，比實際年齡老了很多的他脫帽站著，逆光，以致額頭上有一團游移的黑影，看不清楚他的表情，因此也不能夠猜測他在思索什麼。找出當日的紀錄，唯一見到的線索就是「先生立船頭良久，脫帽還禮致敬」，而這出現在國民黨官方版本的年譜裡，事實上，那上下兩冊比磚頭還沈重的大書充滿了造神運動的努力，以致忽略了革命家的性情其實比一般人更要浮動、浪漫，譬如：先生很容易就從興高采烈轉爲心灰意冷，而且他最擅長做夢！現在先生心裡念茲在茲的國民會議只是夢想中的一項；至於船正離開的神戶，那是他夢想發跡的地方。也只有在最不著邊際的夢裡，中國近代史已經與他一波三折的命運不可或分。目前，他卻還得要斤斤計較別人對他的態度。

事實上，先生這一刻又頗爲欣慰，雖然犬養毅始終未曾露面，更沒有請他上去東京，但前天於高等女校作「大亞洲主義」的演講，已經是〈神戶新聞〉的頭條；大阪的〈朝日新聞〉也在頭版上有半面的報導，至少表示仍重視他的動向。「東方王道之干城？西方霸道之鷹犬？」他悄悄地再唸一次那富於聲韻之美的對句，多麼適於傳誦。他舉手，向著岸上送行的衆人，無數條即將斷裂的彩帶。每一回輪船離開岸邊，他都不知道自己是否有一天將回到原地，尤其這次，在啓程之前，他已經囈語般地說出關於自己命運的預言，那是在黃埔軍校的餞行宴上，先生提到將來能否歸來，尚不一定，他說起自己的年齡已經五十九歲，雖死亦可安心矣！近些日子，他隱隱知覺到自己的臟器在迅速惡化，老朋友秋山定輔勸他去九州的別府溫泉療養，但是國家搞得那麼亂，他能夠撒手不管？再說，療養這種事情從來沒出現在他的時間表上，即使日子無多，先生的政治直覺只會讓他更把握目前的時機。「如果不能夠北上，我寧可死！」先生在行前一次次堅定地說著。

船行開始顛簸，進到艙裡的先生卻異乎尋常地感覺飢餓，雖然這時候他的胃已經被糟蹋到只能夠喝些菜湯。他用湯匙舀著碗裡的紫菜末，送進嘴裡。先生從來喜歡和式飯菜的清淡，卻不習慣像日本人一樣捧起碗喝得呼嚕有聲。一刻鐘後，副官馬湘清理桌面，欣慰地爲先生移走舀到精光的湯碗，馬湘想要扶先生進屋休息，卻聽見他向唯一不曾暈船的同志戴季陶述說那年廣州起義失敗，他與少時的朋友陳少白、鄭士良逃到了這個城市神戶，那是第一回剪斷辮子，他笑道，「一八九五年……，」說著，先生望見抖抖索索勉強步出房間的妻子，那年她剛才一歲？兩歲？因此，與妻子結合一開始，他就預見她必然是遺孀。

「羅莎蒙黛，」先生輕輕唸著妻子美麗的英文名字，用眼睛向她示意，要看起來步履不穩的妻子挪到自己身邊。

2

馥郁的花香裡，我知道，應該心滿意足了。但是就像生命經過波折的人總不敢相信有一天好運眞的降臨到自己身上，那間布置得喜氣的客房裡，我必須反覆地告訴自己，這不是夢境。

辛遜他父母小憩的午後，我走進兼作花房的溫室，放滿了水，脫光衣服，雙脚踏入大理石浴盆中。

坐在水裡，我感覺到肌膚正一塊塊解體、一吋吋離開了我。穿過霧氣，我揉揉眼睛，恍然地以爲覷見了玻璃屋外草坪上的積雪。那年頭，十分窮途潦倒的時刻，走在紐約後街，大雪掩埋了我的膝蓋，一瞬間，有冰雹在我眼前奔騰跳躍，我幾乎以爲那不透明的小小玻璃珠子是從我鼻孔裡蹦出來的。

順著浴池的弧度，我斜斜地躺下，回手開啓了浴池裡的渦流，水波擁著我不住向前，又推著我一逕後退。洸洸的水紋，在我眼前出現了一些流動的光影，奇怪地是，我一直想著媽太太泡在澡盆裡的身體。年老婦人垂在胸前的奶子，像一對滴溜下來的瓠瓜，即使年紀已經八十歲，她依然有十分女性的身體，肩膀柔軟地下垂，從脖頸到腰間，畫出一個優美的弧形……

我瞪大眼睛望著媽太太從蒸氣裡浮了起來，這一剎間，她背向著我，而她背後的皮膚那麼細緻，肥厚地堆疊著，如一堆白色的脂膏，好像……完全沒有經過歲月的痕跡。

●

披著浴袍，我躡手躡腳又回到房間，關上屋門，環顧這個像古堡的建築形式。難以想像有一天，整棟大房子會屬於辛遜與我！

我摸摸梳妝台的圓凳，坐了下去。屋子內部，辛遜的母親喜歡東方色彩的擺設，唔，就像她會把鳥籠子與樟木箱子都陳列出來。我把臉靠在穿衣櫃上稍歇，直到我的嘴挨著鏡子，擦出了整條濕答答的水印子。

抬起頭，我自顧自打量這間客房的布置：一個鳥籠子、一塊繡著鴛鴦戲水的紅門簾、一隻仿古的青花磁、一對龍鳳呈祥的宮燈，牆上，掛著鴉片煙的煙槍……，從鏡子看出去，是自己細瞇瞇的兩隻眼睛。風鈴的叮噹裡，每次我都用撒嬌的聲音跟辛遜說：

「你有沒有想過我是誰？」

辛遜捏了捏我的面頰，理直氣壯地回答：

「你是我的『中國』！」

媽太太呢？——多年來，她若還有朋友，那是幾個外國人。他們親暱地用英文叫她名字、吻她的頰、握住她的手、擁抱她肥胖到行動不便的軀體。而他們不叫她「羅莎蒙黛」，外國人叫她「蘇西」，「蘇西」、「蘇西」，那兩個簡短的音節好像某種魔術，在病榻上，我看著媽太太神奇地睜開眼睛……

●

那天晚上，住進這間布置得喜洋洋的客房，是作夢吧！我看見姐姐的身子陷進去了，我伸手去救，兩人揪扯在一起，脚底是愈陷愈深的流沙，某種下墜的重量。最後只剩下四隻手，還留在外面，不停地抓。我喊了出來。……然後，我看到坐在床旁邊的辛遜，以及他擔心又憐惜的藍眼睛。

辛遜把我攬進懷裡的時候，我想到媽太太葬禮舉行過的半夜，姐姐跪在我床前，要我快走。再晚就走不成了，姐姐認眞地說。那一瞬，頭髮遮住半邊的臉，看不見姐姐的表情，她的指甲深深掐進我的肉裡。姐姐顫聲道：

「在外國，你過好日子了，可別忘記我啊！」

3

夜晚，先生不用看也知道遠近閃爍著星光似的警告燈，像一名饒有經驗的水手，憑著鼻腔裡鹹腥的濕意，他嗅出來「北嶺丸」正在滿佈暗礁的內海中航行。這一瞬，晃盪的船身讓先生的思緒不時地飄向南方的據點：他們倆離去的第十七個夜晚，他想像漆黑的河岸上，大元帥府的電燈兀自放射刺目的光亮，那是兵變後為了安全搬遷去的廠房，構造堅固的足以抵抗炮火，旁邊的珠江正好當作護城河，每一層樓都有陽台環繞，繞滿了棕櫚與九重葛，新從西洋雇來的職業拳擊手在樹影間來回巡視。但是，只要他北上的壯志未酬，堡壘一般的大元帥府無異於水泥牢籠，「如果不能夠北上，我寧可死！」這樣的說詞雖然豪氣萬丈，個中的原委卻在他見到廣州已是死地，他所置身的城市已經轉而反對國民黨了。如果他不能夠北上，提出統一的主張，那麼，他生命所投注的革命志業也終將過去——

夜色裡看起來，一柱柱電燈發出了不同顏色的光芒，他居家的水泥廠房像漂流在珠江河道中的一條船，遠離那塊大陸的任何一隅，而所害怕的也正是這樣，再沒有可以靠岸的土地。一年多前陳炯明叛亂，包圍總統府的號音下，他僥倖先走一步，而他的妻子，卻像奔行在廊柱間的逃犯。啊，羅莎蒙黛，自從婚後，她幾乎亦步亦趨地過了十年動盪的生涯。這一刻，他聽見旁邊另一張床墊上輕微的鼾聲……

節奏平緩，鼾聲帶著安然的韻律，顯然無夢無驚，先生有幾分羨慕地想著，到底年輕，剛才還暈船暈得那麼厲害，轉瞬沈睡起來。先生搓搓自己毫無睡意的眼睛，或許怪體內的疼痛，在胃的下方，似乎又不是，先生不舒服地試著坐直身子，透過圓形的小窗，外面一片漆黑，其實什麼也看不見。先生把耳朵貼近船艙的鋼板，澎湃的海浪底下，彷佛有殺伐的聲音壓抑地傳來。這裡是血水染紅過的瀨戶內海，先生若有所悟地記起。他旋即又想到現在中國北方的情境，外國報紙上叫這些軍閥「Warlords」，割據的藩鎮，與日本歷史上的幕府將軍沒什麼不同，而他最痛心的，就是愈來愈多人把他看成這些人中的一個！上海《申報》還客氣地稱他們爲孫中山夫婦，至於別地方的報紙，稱他爲孫氏、叫他作粵孫，「粵孫」最多與東北的「奉張」並列，只是一個地方政府的領袖。先生自我解嘲地告訴自己，怪只怪他一直陳義過高，事實上，這一次北上，他就是抱著這樣明知不可爲的心情來的，他甚至不知道下一步會走向哪裡？

床墊上轉著念頭，先生悶哼一聲，他記起前天晚間，就像這天夜裡一樣，他靠在椅背上，突然覺得肝膽俱裂地痛。一定什麼地方出了毛病，先生摸著腹部平躺過來。他又翻了幾個身，輾轉反側的時候，倒是愈發確定無論如何不能夠眼睜睜地——看著別人把自己辛苦建立的國家搞得不可收拾！

4

●

媽太太突然陷入昏迷的那一天，從媽太太床旁邊，我們姐妹被迫捲起舖蓋，搬回自己房間。他們算準了媽太太不會醒了，人人望著我們的眼神裡透著幸災樂禍——

之前，那是一個細心保守的秘密。事實上，侍候媽太太的人，這些叫媽太太「首長」的男男女女，沒有人喜歡媽太太，他們煩她、憎惡她、討厭她。

一張張虛僞的嘴臉令我不寒而慄！他們全是共犯，說謊的共犯。表面上服侍著媽太太，其實，心裡恨透了這個老女人。媽太太一進入昏迷狀態，他們的報復對象首先是媽太太最疼愛的我們姐妹。

姐姐嚥不下這口氣，漂亮的眼睛裡露出一種凶光，她很大聲地說：「掀出來，算了！」，又說：「我們本來就是她女兒。媽太太對外人都這麼說的，說我們是她的家人，是她最親的人。有什麼不對？」「況且，」姐姐翻了翻白眼說：「人家都知道她跟爸爸的關係，連媽媽也這麼講！」

後來，把我們姐妹攔在外面，他們排成了一行站在媽太太靈前，畢恭畢敬的行禮。做什麼都是爲了保護她，保護媽太太的名譽。其實，當年媽太太就最討厭這種假惺惺：素不相識的小朋友圍繞著她叫宋奶奶，畫個壽桃摺個紙鳥也要獻給敬愛的宋奶奶，你們不知道嗎？我忍不住要扯著喉嚨喊，愈後來，媽太太愈失掉對付的耐性。

「死了，戲倒要做下去！」姐姐努努嘴，一臉氣不過。

●

那是最卑鄙的一個騙局。

葬禮中，出現了一些我們從未見過、從未與媽太太有任何關連的家屬代表。他們不是媽太太的親戚，僅僅是孫家的遠房親戚。

到了國外，幾年後，我看到媽太太老朋友猶太人伊羅生在他的新書上寫著：

「我可以作證，這是何等殘忍地違背了宋慶齡本身的意念，我也能夠想像，對那兩個女孩而言，有多麼痛苦。當年，宋坦白地告訴過我，世界上她關心的只剩下這兩個女孩。」

當然，歷史上，也充滿了這類的騙局就是！

5

第二天早上，先生在晃動的韻律中醒轉，以爲已經忘記折騰了半夜的胃痛。

先生坐起身，俯視另一張床墊上的妻子，踡曲的睡姿，看來那麼稚弱，先生有時候妄想自己應該奮不顧身的保護她，畢竟沒有那樣的機會！先生旋即又難以自欺地知道，關鍵的時刻，自己大概還是一樣會撇下她。廣州蒙難，乃是最後一刻仍留在粤秀樓裡的孫夫人才嚐到巷戰的滋味。「逸仙，中國可以沒有我，不可以沒有你！」這是宋慶齡各種版本的傳記中衆口一詞的記載。她堅決地要先生先走。當時，戴著墨晶眼鏡、腰間懸著藥箱、打扮成出診大夫的先生逃過一劫，先生大有可能從此見不到她。

「羅莎蒙黛，」先生喜歡這樣無聲地呼喚妻子，卻不願意將她驚醒。年輕的妻子比六十歲的自己需要更充足的睡眠，先生很難得的體貼地想。伏在妻子床邊，從有些衰弱的視力中看著她鼻翼輕輕地掀動，濃密的睫毛在晨光下映出一道棕黑色的投影，先生珍惜這麼溫存的片刻。

怔忡了一會，先生想用最輕巧的動作，握住妻子擱在毛毯外面的手，貼向自己老而皺的側臉，遲疑著，又作罷了。「政治眞令人面目可憎，」先生在這一刻索然地意識到，同時他自己明白，嫌惡的感覺總是十分短暫，沒多久，他又會積極地函詢這個覆電那個。

把妻子的毛毯掖掖好，他坐在床上向窗外看，遠遠已經望得見陸地，不久會到達門司，都是他熟悉的地方。他眨著沾滿了眼屎的眼睛，突然記起一九一八年，正是從箱根到神戶的火車上，急性角膜炎發作，怕光的眼眶裡，抓不住一明一暗的影像，只覺得雜木林流動地過去。那曾經是他挫折深重的時期。當時在亡命途中，才被桂系軍閥趕出了廣州，岑春煊作主席總裁，明言要他出國遊歷。先生搭輪船到門司，在他最多支助者的日本，碼頭上也冷冷清清，只有最忠心的朋友宮崎寅藏與澤村幸夫來接。至於妻子，因爲父喪到了上海，正積極向法國領事交涉租界居留的事情。後來先生在京都幾天，算是他這些年第一次有機會靜下來。失去了視力，他聽得見松針落在苔蘚上的聲音，還有穿行林間的風聲，簌簌地晃動倒映在池塘中的樹影；也是第一次，先生認眞地想著自己可能錯過了什麼，就因爲這革命事業？錯過了恬靜的樂趣以及平凡人的家居生活等等。京都那位大學病院的眼科醫生叫市川，他還記得；那是穿著單衣的六月天，他也記得。實際上先生很少生病，他認爲對革命家，精神與體能之間總存在著不可或分的對仗關係，至於生病，則代表輪掉了最關鍵性的拔河。先生用手狠狠地摩擦臉上鬆弛的贅肉，「政治是怎麼讓人衰老啊！」這瞬間，他在心裡由衷地歎著。

於是，先生想起自己後半夜睡得並不安穩，連番的噩夢，或許是胃部隱隱的痛，躺在床上就愈發清晰，但是他卻不肯讓熟睡的妻子憂心，包括近來一些不祥的預感，也只有自己知道。愈重大的事項愈瞞著她，就好像他始終不願意讓那性格倔強的小婦人發現他一直比她更容易妥協。

比較起來，先生不得不在心裡承認，妻子身上反倒有堅貞的品質，誠實、恪守原則、爲信仰悶著頭去做，每當先生說出其實有點心虛的什麼幾大政策，他很驚訝最信以爲眞的就是妻子。同時，先生卻又禁不住擔心，特別是最近，他常常想要告訴妻子一些什麼，告訴她將來試著去做一個普通人，告訴她革命情操並不眞的高尙，告訴她人世間可貴的東西，大概都與政治風馬牛不相及。啊，可能太遲了，先生又感覺腹腔裡的疼痛，上帝不一定留給他時間，讓他對生命中最後相守的女人備極忠誠。當然，更關鍵的問題是，即使時間充裕，他會說嗎？或許因爲他的私心，他不敢讓她面對爾虞我詐的眞相。他深知她對自己的愛戀裡摻雜著敬仰，從開始，那就是孺慕的感情，才讓老練的他輕易鹵獲了芳心。他是她情竇初開的第一次獻身，而在她之前，他卻已經有過太多女人。但他畢竟是疼惜她的，他寧願她像豢養著的金絲雀，不知道人世間的險惡！只是，從此以後呢？少了他的翼護，她注定會涉險，同時，——啊，難道她不會碰到更值得她傾心以及傾身相許的男人？看著眼前溫軟的肌膚，想著那莫可預測的前景，五十九歲的男人心中微微升起了沒有根據的妒意……

6

●

下午，斜靠在椅子上，我作了個夢。夢裡一片空白，然後，一片片羽毛輕輕落了下來。人家說，近年的北京已經很少下雪，你相信這樣的話嗎？

那間後海的宅第裡，姐姐與我的臥房上了鎖，不是參觀的路線，人家說，我們倆是始終不存在的謠言。

紀念媽太太的書在結尾時寫著：「一顆偉大的心臟終於停止了跳動。」原來，心臟也有偉大與不偉大的分別！

前一時刻，隔著窗，我望得見工人在草坪上搭婚禮的帳篷：刺眼的陽光裡，我突然又回到天安門廣場，眼前就是紅衛兵誓師的場面。惶惶地，我幾乎想要踢起正步。睜開眼睛，才發現是樓下起居間的電視在轉播足球大賽。

●

醒了以後，我坐直身子，望著這間客房梳妝鏡前的一排香水，第五號、快樂、毒藥……，各種形狀的璀璨。當年，媽太太常坐在她的梳妝台前把玩那些已經乾涸的、蒸發的、沈澱的空瓶子。

放水果的銀盤內，擺著婚禮客人的名單，都是辛遜家的熟人，幾乎沒有我可以辨識的名字。這一刻，我倒記起來媽太太妹妹藏在濃蔭裡面的巨邸。有一次坐車經過長島，人家指給我看，原來媽太太顯赫的妹妹就住在那裡。與我還可能有什麼關係嗎？媽太太過去了，我與她的親戚從此不可能有任何往來！

就好像那一年，我輾轉聽到孫中山的孫輩向台灣當局爭房產，當時我咬著嘴唇，不用看鏡子，我都想得到自己臉上那一絲冷冷的笑意。

●

浴在映照進來的月光下，柔和的氤氳包裹著我，我想像自己已經是穿婚紗的新娘。大床的另一角，明晚會披上的睡袍放在大盒子裡，從一家店買回來的：「維多利亞的祕密」，我喜歡這個店名，總帶給我神秘的聯想，質料是輕軟的蠶絲。有的地方我很像媽太太，譬如，喜歡美麗的東西。

當年，文革結束再見到媽太太，她就不祇一次向我們抱怨，她實在煩透了一件件灰色、藍色的毛裝。

有一回，盤腿坐在媽太太臥房那張大床上，看到她一九四五年的照片：她穿圓點的旗袍，脚下，踩著四吋或四吋半的高跟鞋。怎麼也看不出當時她已經五十三歲！

那次悄悄翻開媽太太的相簿，還有她與鄧演達在莫斯科照的，相片下用阿拉伯字寫的1928。二〇年代啊，好大膽，兩人幾乎是肩膀靠肩膀站著。媽太太披件半長的大衣，圓潤的小腿就這麼隨隨便便攏著。她的面容，唔，充滿了動人的嫵媚，讓我想起一支曲子，叫作「快樂的寡婦」。那位看起來很像條漢子的鄧演達，說不定是，是那幾年間她的情人——後來，我看到有人這樣繪聲繪影寫過。

傳聞有可能是眞的，爲什麼不？

據說，媽太太在「中國民權保障同盟」時期，又有個親近的朋友叫楊杏佛。我知道，鄧演達與楊杏佛都是在國共鬥爭裡被殺害的。很多年後，媽太太還在他們的祭日寫文章，看起來她對他們的哀思始終不衰。

算算，總共過了十年婚姻生活的她，此生共有多少位愛人、愛人同志？他們曾經給過她什麼樣的歡愉？

我不能止歇地在想，想知道她除了是媽太太，除了是底下人口裡的「首長」，首長這首長那的，還是個怎樣的女人？

另一方面，從父親風癱在床上的樣子想像他曾經如何得寵，倒是件困難的事！

我瞪大眼睛，愈來愈沒有了睡意。

7

船停門司的時候，先生在艙裡接見了當地的新聞記者。

先生的特長是應變，從來就有人批評他多變而狡黠，像個變色蜥蜴。這種說法也許並不眞，但先生確實擅長於應付記者隨興的問題。當一位蓄短髭的記者唐突地問道：「這次到北京去，推什麼人做總統？」先生和氣地回答：「我現在日本，看不淸楚，不能夠說出什麼人。」就此避過了尷尬的情境。

然後，先生得以闡述此刻正在他心裡的幾件事，廢除不平等條約，其中也包括與日本訂立的廿一條，他幾乎是爛熟了。「我所發表的主張，最重要的一點，就是在要求日本援助中國廢除不平等條約。」先生的聲調依然帶著煽動家的迫切，「我們中國此刻所受不平等條約，日本三十年以前，也是曾經受過了的。我現在希望你們日本，己立立人，己達達人，擴充痛定思痛的同情心，援助我們中國來奮鬥！」

先生講話的時候聲音洪亮，手勢很多，帶著不容人反對的篤定，他尤其喜歡做即席演講，他總相信自己可以把革命的感情即時傳遞出去。事實上，對許多人來說，先生身上最莫之能禦的正是他的口才。恰如當時一位黨國元老章士釗說的，即使離開他的身邊一定會覺得沒有道理，在他面前時候，卻不能不說「是」。

此刻，看著面前團團圍著他的面孔，先生一掃昨夜睡眠不足的疲倦，振奮的精神又溢於言表。他甚至想在短短的時間之內，告訴他們日本對他的特殊意義，包括告訴他們自己曾經說過：「我們就是五十年前明治維新時代的志士。」事實上也真是如此，沒有日本做根據地，他很難在起義失敗之後還有休養生息的機會，更遑論建立有組織的革命團體；另一方面，日本曾經給予他最強烈的希望，如果桂太郎不死，先生統一中國的夢境也許早就實現了。但先生畢竟不像當時那麼天眞，多年來作個政客，他分辨得出犬養毅、頭山滿那些傢伙的功利性，事實上從剛開始，他就是他們支那夢的一個章節，就是日本軍國主義為了分散風險所下的一部分注！但先生還是抱著希望，這一回取道日本北上前，先生曾用密碼打電報給頭山滿與犬養毅：「現離上海，不日可得拜眉之機。」途中他又再度致電：「此度為收拾敝國時局，特經神戶赴北京，欲就東亞大局事有所商談，閣下倘能枉駕神戶，則幸甚。」後來，頭山滿人是到了，從東京至神戶，也住進先生投宿的東洋飯店。但是一談起不平等條約，意見就大相逕庭，頭山滿還趁機發表一通宣言，說什麼：「故我國在滿蒙已擁有之特殊權益，待將來貴國國情有大的改善，再無受他國侵略之虞時，必定歸還貴國；然目下若貿然答應歸還之要求，恐我國國民之大多數將不應允也。」

想著，先生在心裡歎口氣，準備繼續應付記者的下一個問題。這些日本青年，他們比中國人白皙。髭鬚茂盛而濃黑，隨員即時口譯的空隙間，先生驀然地想到滔天，記起來那位大鬍子俠客宮崎寅藏，無論什麼場合，當滔天俠客打扮的形貌出現在先生心裡，立即喚醒先生對於流浪生涯的渴慕，而先生念著滔天的時候，往往也是靈魂純淨的一瞬。先生這輩子若有過眞心想念的朋友，必定是滔天；先生眼裡若還有比自己可愛的男人，那必是滔天無疑。這種男子漢中間的惺惺相惜，總讓先生由衷的快慰，但滔天與克強呢？想著另一個蓄鬚的男人黃興，先生可以猜到，在克強與滔天之間，豈不是更無私、更絕對的友誼？……先生不願意。揩了一把額上的汗，這時候，先生又暗自慶幸起來，幸而滔天已經病歿，無須目睹自己這張做過各種政治交易的面孔，油膩膩灰糊糊的臉，一定不是滔天樂意見到的。先生最淸楚，滔天什麼事都追求完美，痛恨任何的現實政治，嚮往著絕對自由，那是不存在的一個狀況，因此，滔天只能夠作無政府主義者！如果滔天看見自己現在的模樣……先生眞的不願意再想下去。

回過神來，面對的還是這堆生澀的日本記者面孔，先生望望就又不免洩氣，他們怎麼能夠理解中日提攜的深意，以及自己出爾反爾的……曲折，而希望一再的落空之後，先生也必須承認，聯日是失策的，無論他與日本朝野人士的關係如何親密，那些傢伙始終敷衍他，只是站在日本的立場兩面下注。一會與袁世凱訂下密約，一會與段祺瑞簽軍事協定。記者們繼續七嘴八舌地問道，陳炯明爲什麼叛變，中國南北爲什麼難以調和，……。他們似乎不認識先生，不知道先生這回是放下了所有身段，帶著把過去建國的功蹟全部放在一旁的心情北上。

先生更洩氣了，他呼吸著馬達噴出的油沫，忍受身體內部的酸楚，聽著記者對於廣東情勢不明就裡的質疑，先生的隱痛是，他的政府在廣州市執政的結果，自己必須爲那天下午的血腥屠殺負起責任。大元帥，他們搗毀一切！大元帥，西關與城內，已經成爲對壘的形勢，如果不能夠當機立斷，恐怕無以重建秩序！大元帥，開市的店面也受到裹脅，準備一齊罷市！他猶豫地下達命令，如果確有其事，則用幹部及其他學生，協同福軍忠勇之士，臨門勸告，不從，則進一步應付之……後來先生望著自己的手諭，簡直不敢相信，他在自己的根據地下達了這樣的命令！而最教先生難以忍受的事，是想到自己與那群割據一方的軍閥毫無分別。他知道這是生命中的汚點，損失已經不可以挽回，他記得下船後立即要函電交馳地告訴漢民，告訴那位對自己效忠但不免剛愎自用的老同志，切不可再一絲一毫驚擾到民衆——

8

我夢見自己在迷魂陣似的上海衖堂間打轉，大半個都市籠罩在昏沈沈的霧中。我感覺自己一步步走上樓梯，母親住房的門，像開著、又像栓著……

「上海，」我曾經跟辛遜說，我可知道英文裡這個字的意義，見不得人的狡詐，不只是小奸小壞，還包括著上下其手。

在我記憶中啊，我扳起手指，向辛遜一件件數算：上海是蒙塵的法國梧桐；是石庫門底下摳脚的婦人；是天花板的灰屑掉在泡飯的碗裡；是脚步聲從窄小的樓梯下來，就朝你脚邊傾倒尿盆；是偶爾在南京路看見一張白俊的笑臉，對剛到上海的江北佬，卻不免想到「白相人」的詞彙……

我沒法跟辛遜說的，是上海在媽太太口中，永遠是她最最親切的「阿拉屋裡」。她的「阿拉屋裡」，也指淮海中路上那棟白色的洋房。儘管外面世界又陰又冷，媽太太的洋房內還可以生起爐子。父親中風後我們被接到上海，那曾經是我小心眼中的天堂。外面有個大後院，一次在草叢裡，我找到了幾個花花綠綠的槌球。

為什麼不跟辛遜說呢？我悄悄在心裡頭琢磨。為什麼對辛遜隱去了我比較特殊的一段童年？——那是我當年就嗅出些不平常的氣息？包括我們受到不是一般的優遇、也包括別人打量姐姐與我的眼光。或者，理由其實很單純，我只在遷就著眼前我要嫁的外國男人，我跟他說的話，是以他的眼光看一個殖民者放棄了去拯救的異國城市！

後期的記憶中，上海倒眞格的溽暑蒸騰起來。文革開始，媽太太到北京去了。我與姐姐擠在母親借住那層樓的半間屋裡，一張草蓆與幾截木板搭了張床，母親總在床上抱怨，要不，她就露出毒怨的眼神嘀咕著。汚黑的蚊帳裡，母親先是哼哼唧唧，然後淒厲地喊了一聲：你們的爸爸在哪裡喲？

我看到父親，療養院病房內，我看見他風乾的四肢。夢中，父親黑褐色的生殖器，像乾棗子一樣地萎縮在腿窩裡。

●

媽太太過去之後，我還到上海瞧了父親一次。療養院的病房裡，瀰漫著撲鼻的霉味，父親眼睛是黑黝黝的兩個窟窿。

兩個結著蜘蛛網的黑洞，在我夢裡，生出一些肥軟的蛆來。

葬禮中，我們也只能遠遠地注視媽太太的遺體，媽太太化好了妝躺在玻璃棺材內。近處，一班不相干的小學生圍著她，行舉手禮。鎂光燈一閃一閃，小學生還要擠出兩行眼淚，跟媽太太道別。葬禮有意地略去了我們姐妹，不讓見的，自從媽太太昏迷後，我們就被擋駕在她臥房外面。

好些年以前，還是文革時候，我們借住的那棟樓死了人，據說是肺結核。扶著窗，母親滿臉不屑地告訴我們，他們那些上海本地人的習俗，用絲棉把屍身裹起，否則說會飛出蛾子，鑽進別人的鼻孔裡，還說就是肺結核流傳的原因。

媽太太的葬禮之後，無緣無故地，我就重複同樣的夢，媽太太被捆綁在一床絲棉裡面，動彈不得！

後來有一年夏天，坐在紐約的老房子中，幾十隻幾百隻白蟻從木頭縫隙裡鑽出來。瞪著，我感覺手臂上豎起了一根根汗毛，還有小小的雞皮疙瘩。

夢裡，我看到自己蹲在地下產卵，灰糊糊的東西蠕動了起來，尾巴一點點地張開，那是撲撲翅翅的蛾子。

有時候，望著辛遜波紋不興的藍眼睛，連一片雲彩也投影不下去，我又想到常年坐在燈影裡的媽太太。不願意北京多灰砂的外在環境弄髒她一塵不染的世界吧！過了八十歲的媽太太動也不動，瞪著梳妝台上發出異彩的玻璃香水瓶。有暗香盈袖，我不知道在什麼地方看過這一句。

想必那是寂靜的世界，包圍媽太太的只有記憶！許多年後，我在中國城的一家小書店裡翻到叫作《愛，是不能忘記的》的小說，平常我很少讀文學作品，那是很有名的一篇。文中寫著女主角看自己母親在屋裡踱來踱去：「我以爲那不過是她的一種怪癖，卻不知道她是去和他的靈魂相會」，當時，想到媽太太夜深了還在隔壁房間慢慢踱步的習慣，媽太太在想著誰？……我不能不認爲那是自己的父親！

這時，辛遜眼裡就會落下一線陰影，他妒嫉的語氣說：

「一分錢，買你的心思！」

好像玩辛遜母親打發時間的拼圖遊戲，桌子上鋪滿了凹凹凸凸的小方塊。我嵌入殘缺的碎片，朦朧的燈影下，漸漸現出媽太太穿過了死亡的面貌。

9

接下去兩天，風浪很急，人們日後從年譜上只得到「船過黑水洋」的大略印象。那日下午，先生的中文祕書黃昌穀在趨近先生時，卻第一次覺得先生臉龐上帶有病容。靠著先生坐下，黃昌穀拿給先生看，一張自己保存了多年的照片。先生在照片上穿著半長的西裝上衣，裡頭白襯衫，外面還罩著小背心，底下是條紋長褲，先生看來有種紈袴的調調兒，一隻腳沒站直，好像還晃盪地打著拍子。當年，人們常對先生有不夠莊重的印象，包括先生與女人的關係。先生最炯炯有神的是眼睛，靠那一副跳躍的眼神迷倒過無數少女，就連宋家姐妹這樣的大家閨秀也在其中。這一點，曾爲先生招致不少同志間的非議。而現在，黃昌穀看著先生灰敗的神色，卻希望先生眼眶裡重新燃起那種發現了獵物的旺盛火苗該有多好！

除了暗自擔心，黃昌穀並沒有追問先生的身體狀況，他猜大概是旅途勞頓，好在過一天，他想，先生就要到達航行的終點天津。黃昌穀怎麼料到這裡是先生最後靠岸的港口？就像沒有人知道先生的時間所剩無多！當然，對後世來說，最耐人尋味地是，時序輪轉到這一刻，先生憑著一向不算高明的政治直覺，難道已經預見了自己北上的歷史意義？換句話說，如果先生不曾選擇這象徵波折與險阻的最後旅程，而在廣東鬱鬱以終，後世可能只把他看成齎志以歿的南方領袖。

此時此刻，別說本國人對先生的歷史地位茫然無知，外國人更瞧不起先生！列強在權衡利益後，聯手干涉中國的論調又告復活，充滿善意的似乎只有布爾希維克革命後的俄國。因此，列寧不久前去世，先生送去了「我丁百厄，君遭千艱」的輓聯，十分同病相憐。若把眼光回復到那個時代去環顧世界大勢，才能夠確切地體認先生上岸所面對的是什麼樣棘手的局面：世界大戰後，「國際聯盟」已經形同虛設，莫索里尼在義大利初露頭角、德國才成立了國社黨、日本剛經過一次震災、美國的名人是柯立芝總統，……。至於中國，幾乎處於無政府狀態：馮玉祥陣前倒戈，瓦解了吳佩孚武力統一南北的聯線，吳本人成爲敗軍之將，一方面受到監視，另一方面，關於他出處的各種謠傳不斷。有人說吳志在入川，有人說他將求助於湖南的趙恒惕。雖然是解甲軍閥，人們卻猜測吳「市上吹簫，未墜覆楚之志。」至於直系支持的大總統曹錕，則在脅迫下退位罪己，先生船到達天津的那一日，曹錕在北京傳出服毒而又獲救的消息，事實上，那是障眼手法，曹錕的姨太太可沒一刻停歇，正努力動用她與張作霖帥府的關係，替曹錕找下台階。這時候的中州則又戰雲密布，胡景翼、憨玉琨打算爲了地盤決一雌雄。政治的核心地帶卻看似平靜，下野與出家成了最時髦的姿態。籍貫安徽合肥的段祺瑞以執政的姿態，兀自在談禪酌茶，而那位回師把吳佩孚打敗的馮玉祥也傳出了潛心向佛的消息。這對先生總不是什麼好事，意味著馮玉祥之前邀約他來共商國事的主張已經動搖。

果然當時北方的輿論對先生的主張與學說抱著極不信任的態度。有的報紙評斷先生「實力百不及張馮，聲望遠不及合肥」，然後質問他北上議事的主張「奚有不勢均力敵，而能享對等之權利乎？」。有的報用「社說」譏諷他「飽經世變，壯志已灰，知空言吶喊，不足以有爲」，然後好心地建議他「與其履險涉危，支撐殘局。何苦趁此機緣，以作下台地步」。某些文章毫不容情地指出他「十年憂患，未得一逞，實力不逮，鼓吹奚益」，然後明智地催促他：「潔身引退，毅然下野，恢復大好之令譽，自娛桑榆之晚景」。

而回溯那個時代，其實，一位外國歷史學家史扶鄰的說法最能夠勾起後世對先生的同情與瞭解：

「他之所以一直被人奉爲民族英雄，因爲他二十五年的活動時期中，正是中國最黑暗的年代；如果把他也忘記了，那個時代就會更加黑暗！」

● 10

北京的王府有一種天花板離地太高的清冷，她那大而無當的客廳，活像機關裡接待人的會客室。

坐在郁郁、珍珍兩個孩子對面，她努力在想上海的街道、霞飛路上的老大昌、和平飯店的爵士樂，……彷彿聽到了江海關的大鐘長鳴，她著實驚了一驚！

她記得新寡時候，上海那些蚊子報上，最喜歡渲染關於她的流言。她總用英文向外國朋友抱怨：「那麼多韻事，一個接一個男人，我希望啊，一次也好，我眞的得到過什麼趣味。」

從哪一年開始？她再不放過理應得到的一些快樂：S為她洗頭髮，她喜歡S彈性的指頭觸摸她的頭皮，S的手，強壯而有力，那是一雙年輕男人動作後微微滲出汗味的手。

她也最愛梳頭的感覺，她的頭髮長到腰際，髮絲細而且軟，很容易打結。S拿一把玳瑁殼的篦子，徐徐滑過她鬆散開的頭髮。一早一晚，那是如同儀式一般慎重的事：夜裡披下來睡覺，早上起來，S再幫她梳一個亮光光的髻在腦後。

每天晚上，S伸出手，讓她把髮油抹在他的掌心。S合起雙手，然後將摩搓後的油脂搽在她頭髮上。洗完臉，她總把得來不易的潤膚霜敷一層在臉上。關燈前的最後一個步驟，她的手心手背也要塗滿上海出的雪花膏。

●

當年，她第一眼就中意面前這位派來做她生活祕書的男人了。

S彎下腰爲她點菸，屋裡明明沒有風，S也殷勤地用手圈起一個小小的罩杯。她可以感覺併著的手指傳遞過來的體溫。她遷就地偏低了頭，不要讓自己的鼻息干擾到那一點小小的光焰。她想，如果剛才戴了老花眼鏡，她就看的見S手背的汗毛，放大了幾倍的，在火柴畫出的亮光裡，應該呈現一種年輕的昂揚。

●

她原本對於長得英挺的男人就有異樣的好感。看著年輕男人嘴角上青青的鬚芽子，有時候，她簡直忍不住要去觸摸一下。

中央揀選來的幾個女祕書都做不長，她很快找出她們讓人難以忍受的毛病，一一被她罵走了。在S跟前，她卻從來再沒有發過脾氣。

有時候，坐在藤椅上，她靜靜地聽S講述外面的事。她微閉著眼睛，不可思議啊，這個男人是軍隊裡冒出頭的，軍隊中另有一套存活的規律，要費多大的能耐，才巴結上侍候國家首長的差事！而這一瞬間，他們倆的位置顚倒了過來，她彷彿又回到當年那個一派天眞的少女，深情地望著身邊的孫文。新婚時，她還在給別人的信裡寫著：「結婚竟好像上學校，除了沒有傷腦筋的考試之外」。確實，與S穿著草鞋從北闖到南的經驗比較起來，她的周遭舒服多了，這男人又這麼機伶，不久就在金絲鳥籠般的世界裡先一步想到所有她想到的事情，若S偶然忘記了一回，她還會半眞半假地不依著。

●

丈夫的手掌在她記憶中總一片涼滑，或許事關早年醫生的職業，打量女人的眼光帶著有經驗的冷峻。S的手卻溫暖潮濕，爲她推拿了一個早上，S額頭以及眉心正沁出一粒粒汗珠，汗珠沿著髮根下滑，好像一路散著蒸騰騰的熱氣。

●

S是在準備扶持她，或者在導引她的路。但另一個角度看去，兩人在併肩同行，她只是彎起手肘讓S托著。當然有時候，她也不得不在人前顯出某種主動的姿態。

全虧S，是S給她一個無庸置疑的原因年輕下去：S教她把頭髮盤在頭頂上，而不是一成不變地梳個髻在腦後。她從來沒有做過的！S甚至扶她的腰，呵她的癢，再頑童似地把她手臂反剪到背後。在那之前，不知道多久的時間，她的肌膚皺了、鬆弛了，卻益發強烈地渴望著與人的接觸。

把自己交給別人不是件容易的事，小姑娘時候她不曾這麼做，做孫夫人時候也沒有，雖然她有個長她一倍年齡的丈夫。現在老了，她學著把自己交給他！她悄悄問S應該穿什麼式樣的衣服、戴什麼顏色的圍巾，見與不見什麼樣的訪客。重點是，她雖然世面看的很多，但她試著讓S知道，自己正參考S的意見。她費盡心力在取悅一個小她三十歲的男人！以她來說，這才是最新鮮有趣的經驗。

●

看著S在她身旁繞來繞去，她回憶起丈夫對待自己的心境，都是看一位初出頭的年輕人，聰明、勤奮、好學。再沒有別的事，能夠比讓年輕異性甘心情願的奉獻來得可喜。背著S，她撿起自己落在浴盆周圍的頭髮，一根根白的、分岔的、毫無生機，湊在一堆顯得十分猙獰。她回手就沖進抽水馬桶。她想到當年，鴛鴦枕套上那些稠稠硬硬的顆粒。有一天，她大驚失色，一顆顆居然來自丈夫的鼻孔裡。

挖出來的！她偵探一樣偷眼覷著，覷著丈夫那隻覆著老人斑的手。

在上海閒居的日子，星期天早上，丈夫照例仰起下巴，對著鏡子，從抽屜裡拿起一把小鉸子。是他從前當西醫的手術刀嗎？她見到就趕緊擺過頭去，眞懷疑他剪下的鼻毛沾著那些黏黏的小東西，說不定還會放出臭氣！

臭臭的還有丈夫的口涎。那是最後的日子。口涎，混著嘴唇上焦乾的一層表皮，牽成白色的纖維，順丈夫口部的動作在上下唇中間拉長又變短……

最後那段時間，丈夫的皮肉也黏滯起來，摸在手裡的感覺粉粉的，好久都去不掉……

丈夫生病的那些日子，她反覆夢到一碰就要碎成灰屑的男人身體。丈夫無言的眼睛，死魚樣地露出一大塊白。

儘管在那麼詭異的夢裡，念頭仍然閃過：眞想把丈夫一雙手抓著，泡進熱肥皀水裡刷刷乾淨。她又記起了丈夫挖鼻孔的動作——

用哪一隻手指呢？

現在，她迴避去想自己處處顯出年紀的身體，她的手倒是例外，從來細細嫩嫩的。她先挫了挫左手的指甲，再伸出右手，撒嬌地要S幫她修成跟左手的指甲一模一樣長。

11

「北嶺丸」靠近天津外港的時間是十二月四日上午時分，從上海分途入天津的人員已經作好種種安排：汪精衛先乘小船到大沽口，攀上「北嶺丸」，向先生報告京津情勢。

先生凝神聽著，不知道是因爲體內正一陣陣疼痛，還是消息都令人失望，先生多少顯得有些恍惚。

「別重複了，」先生一揮手，打斷其實很扼要的簡報，「這次他們讓我來，就是我們極好的宣傳機會。」

繞過艙裡面亂哄哄整理箱子的人們，先生轉身戴上帽子，踱出了船艙，頂頭一陣寒風，讓先生記起來上次船到天津，已經十三年前了，那時候是盛夏，才從大總統退下來，先生一心辦實業。職位讓給了袁世凱，先生非但不積極參與政事，對於黨務也不多過問。多天眞！先生想著自己居然相信「十年之內，大總統非袁莫屬」，只怪當時熱中實業，認定實業才能夠救國！想的是一個安定的國內環境，便天眞地以爲袁總統的長處既是練兵，就在元首位子上訓練一隻兩百萬的軍隊，先生自己找另外的舞台，專志爲修築二十萬哩的鐵路而籌謀。因此，十三年前，先生只希望袁世凱委任他主管全國的鐵道事務。與袁懇談的期待下，民國元年七月中旬，先生由上海搭「安平輪」到達天津。

先生那次北來的情形，後世人亦有所聞。一個月的時間裡，孫袁見了十多次面，每次都長談數小時。結果先生與袁妥協、被袁利用，散播了許多信任袁的言談，還要國民黨員「全力贊助政府及袁總統」，一方面鞏固了袁的地位，一方面卻增加日後倒袁的困難。而先生與袁世凱周旋的經過，不僅是民初南北政壇上衆說紛紜的議論；十三年後此刻，也是先生自己仍然在反覆思量的謎題：如果不讓給袁就好了。當年眞的由得先生嗎？——雖然說奉承話的小人，刻意把禪讓政治的美名歸給先生，就如同有些不明就裡的同志，義正詞嚴地質問先生爲什麼把民國大總統的權位拱手與人，但在那時候，先生未嘗沒打過政治算盤！一來，先生自忖不是細密的人，他並不喜歡現實政務裡的瑣屑無聊，關鍵時刻，章太炎的說法雖然不懷好意，卻也道出了某些事實：「孫君長于議論，此蓋元老之才，不應屈之以任職事。」滯礙難行的現實之下，先生依然習慣於高談闊論，他寧可面對的是一張中國全圖，在圖上揮灑他雄才大略的實業計畫；因此，先生反而擔心支持實業發展的袁世凱被守舊的氣氛束縛住。二來，先生其實有不得已的地方，除了這早就說妥，乃是袁世凱站到革命陣營的交換條件，只要看那噩運連連的南京臨時政府，從一開始即陷入嚴重的財政危機，就知道「舉袁」爲什麼是當時既定的方針：「革命軍起、革命黨消」，那時候的同盟會形同解體，而同盟會初期延續下來的，湖南人與廣東人之間的歧見一直難以化解，更關鍵地是軍餉的問題又迫在眉睫！先生在南京總統府裡，那是江蘇諮議局的舊址，椅墊還沒有坐熱，催餉的電報已經一封緊似一封：

「軍隊乏餉即潰，莫怪對不住地方」，臨時政府應急地發行一百萬元的軍用鈔票，商店不肯接受，米店作出停業的抵制。先生只好繼續等待外國的貸款，雖然電報一而再催問，今天是星期六，明天是星期日，外國人在休假日照例不辦公，先生告訴爲了軍餉急得咯血的黃克強說，明天不會有覆電的，後天可能有覆電來，以後又過了幾個星期，直等到總統府取消的一天，外國借款還是杳如黃鶴。

事實上直至此刻，先生的廣州政府裡，錢方面的壓力還是如影隨形。自從矢志革命，而先生最大的功能就在向外國借貸、向華僑募款。換句話說，先生喪氣地想，他人生的一半時間都在辛苦的籌錢！另一半時間呢？當時中國的艱難處境之中，如果由著先生自己說，花在廢除不平等條約，反對帝國主義的壓迫。看起來，先生反帝的目標與他目前所面臨的困境更有直截的關係：就在他抵達的前幾日，駐天津的法國領事，還四處揚言：先生登岸後不准通過法租界；亦不許人們在法租界的國民飯店開歡迎大會。就好像先生這回途經上海，上海租界裡英國的〈字林西報〉也在事前挑撥僑民，意圖攔阻先生在滬停留。果然當先生的船徐徐進入天津港，俄國以外的其他各國，已經聯結成反對先生的主要力量！而先生北方最強硬的對手張作霖，近日也頻頻以先生這方面的弱點攻擊先生。譬如，張作霖就公開向早報的記者說：「北京各國公使，都不贊成孫先生。」張作霖與汪精衛交涉的過程裡，張更不加掩飾地說著：「只要你可以請孫先生放棄他聯俄的主張，我張作霖包管叫各國公使，都和孫先生要好的。」事實上，這眞是絕大的諷刺！先生對西方事務的熟悉，曾經是十三年前先生的信譽保證，以及在武昌起義後先生衆望所歸的首要原因。若干年後，爲了同樣的革命理想嗎？贊成他的人都變得反對他了。此一刻，望見岸邊的先生無限悲涼地想著。

12

解放前的老朋友到上海看她，一口一個孫夫人。她的眼光懨懨的，說不上幾句話，就有了送客的意思。

她原本不是與別人親近的那種人，多年來一齊做福利工作建立的友誼，似乎煙消雲散了。在老朋友跟前，她聲音明顯的透著疏遠。

她的朋友倒是不覺，兀自打趣著說，整個上海，還留下外國租界遺痕的，只剩樹啦！那一排排街邊的樹，到今天爲止，還叫做法國梧桐。

霞飛路早改成這個什麼，唔，淮海路，紀念淮海戰役嘛，她皺著眉，淡淡應著。就好像跟著丈夫住過後來又一直住下去的那條小道，香山路，雖然是紀念她的亡夫，香山是孫文的出生地，她還是寧可叫原來文藝氣息的莫里哀路。

這幾年，她無數回告訴自己，所有的城市都會敗壞，就好像再出衆的美貌都會老去。但她多麼不忍心聽見，她生長與居家的城市裡，曾經發亮的牆壁變得霉灰，到處是鐵銹、坑洞，一棟棟洋房院子長起了人高的茅草。

諷刺的是，她心裡想著，她的命運所雷同的還是這個中國共產黨誕生的城市。她的輝煌角色是在租界，在過去的孤島天堂，發揮她無遠弗屆的人道主義！

現在，倒要她怎麼樣更新她自己？

●

那年冬天特別冷，在壁爐前，她有一搭沒一搭地，跟S講自己往日的事蹟。

抗日之前，危險是危險，她幫著送了不少同情分子到陝北紅區，包括美國記者史諾與馬海德醫生，走的都是最艱苦的路途。

沿路經過關卡、經過盤查，頭上還有國民黨飛機的猛烈轟炸。那時候，坐在莫里哀路住宅的客廳裡，她聽人講怎麼樣藏進船艙底，平躺了二天二夜，不敢出聲。「聽他們回來告訴我啊，艙上面是人的脚步聲，有幾次，顯然是在盤查，混雜著粗魯的問話與口令。……天黑以後，在村莊旁邊混上了岸，潛入一間偏僻的屋子，果然來了接應的人，交換暗號，才看見門裡面有帶著毛瑟槍的紅軍。……」

S聽的緊張起來，向她要一根菸抽。遞過去的時候，她看見自己修得圓潤的指甲，想著比起人家涉險的旅程，上海家裡的日子，怎麼說——倒始終還算安適啊！

●

她也斷續地告訴S，她曾作過多出色的女主人。跟著先生那段不用說，後來守寡了，在她家裡，照樣宴請世界知名的人士。不只是你都知道的，她對S說，不只是這些年來政治領袖的金日成、蘇卡諾、蘇聯最高蘇維埃主席等等。當年，在她重慶家裡，一九四五吧，九月天，她宴請過在重慶與蔣介石展開談判的毛澤東與周恩來。

再早，她望著S興沖沖的眼睛繼續說，一九三三年，她還在莫里哀路請第一次來中國的蕭伯納呢！

她笑著回憶，邀請大鬍子蕭伯納到家來午餐，是希望蕭伯納聲援中國人民抗日。飯桌上有魯迅、林語堂、蔡元培、伊羅生、史沫特萊——

她抬起頭，才發現S茫然的臉色。「蕭伯納是誰？」S有幾分靦覥地問。

不重要地，傻孩子，她柔聲說。現在也眞的一點都不重要了。撥了撥壁爐的火，她把手徐徐插進S棉襖的袖筒裡。

●

乍寒還暖，上海十月天倒出了熱烘烘的太陽，S在草地上陪她玩槌球。先是她作老師，S很快打的比她還好。他們倆打賭，賭注是她櫃子裡外國朋友託人帶來的巧克力糖，S故意輸給她，讓她有吃甜食的藉口，她的笑聲整棟房子都聽的見。

圍牆很高，院子大，她的家有點像神仙洞府，躲在與外界隔絕的樹蔭裡。

表面上，當權的人對她像剛解放時一樣地尊崇，但她知道自己愈來愈聊備一格。前幾年，她還需要參加亮相式的國務活動；這一兩年，除了要在六一兒童節時發表一篇祝詞，她根本用不著出門或見客。

●

她其實很感謝目前形同幽居的生活——

當著別人的面，她喜歡的那個人不見了；偶爾客人來的場合，她不能與自己心上的人說話；最多，遞給S一張紙條，僅僅這樣而已。

她知道稍不留神，隨時有可能與醜聞連在一起。其實她才不在乎，可是她怕從此失去了見S的機會。惹出了什麼閒話，他的處境堪憂，她也絕沒有翼護S的能力。想想她就氣餒，無論哪個黨當權，無論她受到怎樣的禮遇，遇上緊要關頭，她始終救不了自己喜歡的男人。

●

她喜歡跟S玩遊戲。

看著球滑進洞裡，她跨步向前，很興頭地拍起手來。

她只要S在她身旁，引她咯咯地笑。

她確實誰都不在乎，只在乎S。

●

「喜歡嗎？」清晨按摩的時候，有一回，S貼著她的耳朵癢絲絲地問。

S俯身向前，壓著她胖得不顯形狀的肩胛骨。感覺上，她的腰窩也壓在S的手掌底下。

「到底喜不喜歡？」S小聲道。用的彷彿是電影裡的道白，十分生澀，聲音還在微微打著顫，像一個不小心觸犯了禁忌的孩子。

她喃喃地，告訴S這一生從未這樣快樂過。當然不是眞的，只是這種情況下自然會講的話。但另一方面，她的頭腦還很淸醒，她謹愼地說「這一生」，而不是像她跟老朋友倚老賣老時說的：「活了六十幾歲」。向才三十歲的S提起六十年的生命，那有點殺風景。

●

她一直熟悉的是知識分子：熟悉他們溫文的語調、遲疑的表情、以及到了緊要關頭的懦弱。

她也救過不少知識分子，她奔走救出來的，一九三三年，像是丁玲、潘梓年；僅僅算一九三七那一年，就救了包括沈鈞儒、鄒韜奮等「七君子」在內的好些人。總之在解放前，她跟太多的知識分子聯過手、打過交道，探他們的監、發他們的喪，在各種不同的場合並肩奮鬥，偶爾也感覺到他們極其含蓄的仰慕之情。

大概完成了階段性使命，她詑笑著想。……她現在所渴求的，卻是不一定非要經過大腦的溝通方式。

也因爲在這充斥著原發性激盪力量的土地上，運動一波接著一波，似乎指向一個無以避免的結局：用思維來明瞭災難的必然性，對她來說，那太痛苦！

●

期待S每天早晨上樓的脚步聲，成爲她的習慣，習慣性地渴盼……

那原本是生存的惰性吧，她不願意多想，她在順著既成的形勢過日子。

彷彿漂浮在某種慵懶的狀態中，她只要這樣的好時光能夠繼續下去——

畢竟，爲什麼要翻轉已定的秩序呢？要翻轉什麼呢？翻了身又怎麼樣呢？對於這個世界會不會合乎理想她從頭沒有把握，到現在，她更完全失去了指望。

她聽說過有些明明苦大仇深的莊稼人，解放之後，卻怎麼樣都不肯出來控訴地主。「或許只是懶，」她懶懶的聲音告訴S，那些人大概像她一樣懶，懶得翻身喲！

13

正午十二時，「北嶺丸」在天津法租界的美昌碼頭靠岸。天氣很冷，先生穿的仍是那件馬褂棉袍，脫帽站在船頭。碼頭上高高矮矮的人頭有兩三萬個，不時地呼出：「中華民國萬歲、革命萬歲、孫中山先生萬歲」。先生攙著夫人在口號聲中登岸。船艙裡還有五十萬隻牙刷等待卸下，刷柄印著先生的相片以及大元帥字樣，先生途經上海向雙輪牙刷公司訂購的，花費不多，入京後將作爲反直戰役勝利各軍的紀念品。

先生上岸未曾停留，緊接著就坐上汽車，直駛日租界的張園飯店。張園門口，早搭好了高高的彩牌樓歡迎先生。

台階上，先生一手拄杖，站在人群中央，拍下此生最後一張團體照。那是天津鼎昌照相館的李耀庭拍的。當時，這家創辦於清光緒初年的照相館又兼採訪社會新聞，供給各家報刊用。爲先生拍照的李耀庭，正主持照相館業務，天津名流與要人的相片都是他的手藝。

先生的行程異常緊湊，根據官方的年譜，下午三點鐘，他坐馬車去曹家花園拜訪張作霖。這也是先生最後一次出門去見客。接下去幾個鐘頭，先生與張作霖會面的情況出現過數種版本，不免有些小小的差池：

正史採用的說法來自當時北京警衛司令鹿鍾麟的文章。文中說，先生見到張作霖前就如臨大敵，先生的參謀長李烈鈞甚至以劉邦見項羽的鴻門宴作比喻，連帶什麼人去——張良、樊噲在哪裡？——都煞費思量。後來決定由汪精衛、邵元沖、李烈鈞、孫科同行。先生幾人到了曹家花園，張作霖居然擺起了架子，不肯親自出迎。坐進會客廳，等候許久，張作霖才出來見面。一時賓主之間沒什麼話說，還是先生打破沈默，操著廣東腔的國語，為直奉之役張作霖的部隊擊破吳佩孚而向張道賀。聽了，張的神情一點也不歡喜，大概要提醒先生你才是個外人，咳嗽了兩聲，張倨傲地頂了過去：「自家人打自家人，有什麼好恭賀的。」幸而與軍系人物一向熟識的李烈鈞出來解圍，說了幾句場面話，先生再加一句：「回想自從民國以來，當面得到我的恭賀的，也只有將軍一人而已。」這樣才扭轉過來僵局。主人接著請客人用茶。端起茶杯這片刻功夫，可就衍生出來了兩套恰恰相反的解釋。時人楊仲子的一篇文章裡寫著：「賓主交談甚歡，張作霖一再舉杯請大家用茶，並表示願與中山先生合作。」鹿鍾麟的版本卻說：「就在這時，張很神氣地舉起了茶杯請大家喝茶，先生明白這是意味著送客，就起身與張握手作別。」

全面推翻了前述相見情況的則是先生貼身副官馬湘的記憶。那篇叫做「跟隨孫先生北上」的自述中，先生見張作霖不是當天下午，而是到了天津三天之後，隨行的只有馬湘與另一位副官黃惠龍。翌日張作霖還來回拜先生。一連二十輛汽車到了張園門口，衛士足有百多人。張作霖與先生再談了三個多小時。張作霖不僅禮貌周到，詭譎的更是談話內容，馬湘記得，張作霖很誠懇地表示，決心追隨先生，願作一個衛士隊長。

先生與張作霖會面的情形姑且存疑，事隔多年，各人的記憶內容，與記敍者當時的立場倒有比較密切的相關。譬如鹿鍾麟，他是西北軍的大將，反直戰爭進入北京的先鋒。鹿鍾麟對於奉軍領袖張作霖素無好感，張作霖如何倨傲云云，反映著鹿鍾麟本人對張的看法。況且鹿鍾麟人在北京，負責京畿衛戍，親眼見到先生，又是二十多天以後先生上京的時候。鹿自己在「先生北上紀實」的文章裡表示，有些回憶，他是和孫先生隨員時相過從，聽他們而說寫下來的，他也為記憶的眞確性預留餘地，鹿在文章前先解釋道：「時至今日，已相去四十年之久，其中許多事實，有的已經記憶不清，甚至遺忘，有的因當時見聞的局限，難免出入錯誤之處。」至於那位記得張作霖甘為衛士隊長的馬湘，他原是精通拳術的華僑，追隨先生多年。馬湘忠心耿耿，記憶卻難免被思念先生的摯情所混淆！

但以先生本身的角度來看，這一類細節的爭論全都非關宏旨，而他自己一再地吃虧上當，只要是手握重兵的軍閥，先生對這批人再沒有多少期待，因此，與張作霖見面也不過虛應故事。先生所眞正記掛的毋寧是盛大的歡迎場面之後，從碼頭到張園飯店的汽車裡，一路都可見反對中山入津、反對中山與軍閥勾結的白布條。什麼人拉起那樣的標語？不像是敵對陣營的語氣，倒像是國民黨同情人士的意見。這麼說，就連北方贊成革命的人，都不認可他委曲求全的苦心。其實，在臨行之前，丁維汾、張繼等同志也屢屢相勸，勸他不要貿然北上。令先生傷心的還有那些閒言閒語，以爲他北來志在權位。爲此，行前他給段祺瑞的信裡寫著北上商議國事之後即將出國養息的心願。途中的公開談話，先生也表明一俟時局粗定，當遊歷歐美。還怕別人不信，甚至連出洋日期都定了，定在明年春間。先生到了天津，立即又發表切結書一般的聲明：「本人對於一切利祿，皆無覬覦之念。」

趁著最後一抹天光，坐在由曹家花園回程的馬車內，先生不是沒想到退隱，頓挫的此刻，也想過帶妻子到自己的舊遊之地，乘遊輪去美國或者歐洲，與妻子並肩靠在船欄，欣賞地平線上一輪滾圓的落日。但問題是他的棋局尚未見出分曉，更可惜的是，他的實業計畫從沒有機會在土地上見諸實現。即使航行在看不見岸邊的大海裡，他也不可能搖晃著酒杯，事不關己的摟著妻子看夕陽！

下午五點左右，先生的馬車終於又返回到張園行館。臉色在燈影中一片蠟黃，先生扶著椅子就要躺下來。渾身哆嗦著，先生小聲說自己肝的部位疼痛。事實上，先生從來沒有這樣痛過！先生猶豫了半晌，決定請夫人代他致歉，看來他不能夠出席各界代表在樓下大廳舉行的歡迎會了。

14

●

她喜歡聽S講抓伕的故事：S聲音中似乎有他自己家鄉的朔風，獵獵地響，颳進一片沒有盡頭的高粱稞裡。雖然她很陌生，但她能夠感覺那無邊無際的荒寒。

「哪邊抓到都一樣，槍桿頂著，齊步走上火線罷了！」S餘悸猶存地說。

看著S倖倖然又喜獲新生的臉色，她見到的是一片慘淡的遠景。可憐，這個男人是沒有將來的，S手臂的肌肉結實，屁股卻平扁，顯示著欠福氣的一生吧！按摩完畢，她獎賞地摸著S滿是汗水的肩膀。她的心裡，深深地歎著氣，不只因爲那個快要到來的結局，也因爲她救不了S，在某個意義上，她甚至救不了自己。

●

她執意在紀念亡夫的一本書上放S作編者，另一集關於亡夫事蹟的介紹手冊，她也建議由S掛名寫前言。這是她權限中能夠給S最高的榮銜了。

總之，她要讓S知道自己的心意，她已經與他不可或分！

儘管這樣，她時時抱歉地想著，這一刻，她給予S的太少太少。

●

等S上樓來的工夫，一下子有些走神，她瞇著眼，在遙想高牆外是個什麼樣的世界。

如果年齡不是相差那麼遠，她會不會寧可傍著S，過一種尋常夫妻的生活？早上拎著籃子去趕早市，中午呢？中午應當做什麼？她一時想不起來，她知道的就是這麼多。尋常夫妻的生活她實在所知有限，她甚至於無從想像。

卻也不只她，生長在她們宋家，沒有人可能過尋常人的生活，沒有人逃得掉，她無奈地在心裡歎著，哎，有關出身的歷史規律！

●

梧桐樹的樹葉都落盡了，她看著窗外，還在想一些漫無邊際的事。

倒有一次，S原本跟她鬧著玩。長手長脚的男人突然靜了下來，聲調有一些說不出的迷惘。S說：

「現在是新社會，我們爲什麼不乾脆辦一辦登記的手續呢？」

她抬起頭來，好啊，她無聲而溫柔地應著。

她注視壁爐裡的那點火光，快滅盡了。她的家成了孤立無援的小島，侍候她的男人，很容易就成爲掃到一邊去的枯葉。

●

其實，之前她認眞提過一次的，周總理拒絕了她。

她幾乎就要坦白說了，她只想做一個自由自在有婚姻自由的人。

但是周總理何其精明：「以前怎麼樣，以後就怎麼樣好了！」她嘴巴剛剛張開，還沒有發出聲音，那個入情入理的決定已經講了出來——

她望著周總理頗有深意的眼神，她有些失望，繼而又不露痕跡地開心著，她知道，至少在這個短暫的空檔，某些事情是被默許了的。

●

想提出那項請求，完全是未雨綢繆，要在將來保護S的緣故。

她何嘗在乎什麼名份！丈夫對她來說，只有一些空洞的意義，居孀已經三十多年，而她的婚姻生活前前後後只有十年。

她毋須名義上的丈夫，她只要身邊這個人過的可以。難道正因爲S對未來一無所知？她心裡會在一刹間充滿對S的疼憐。那種近乎天眞的無知，不知道天要塌了——S儘管機伶，他怎麼可能有那種宿命？他怎麼知道？好日子不多！而她心裡明白，最不願意看見的大破壞就快來了。

15

先生來勢洶洶的病，天津的德國名醫史密德已經看過，說是重感冒的症狀。先生撐起身子，望望窗玻璃，十二月的午後有一種陽光不足的慘淡，夫人去英租界參加黎元洪家的午宴還沒有回來。

先生一脚下了地，彎身四處尋找眼鏡。這些年裡，先生曾是個貪得無饜的讀者，只可惜他的視力近來差了許多。當然先生讀書多存著用世的心願，他看法律經濟的著作，總想著哪一套外國的制度立即可以爲中國所用。先生唯一百看不厭的書是拿破崙的傳記，每讀到一八〇〇年，拿破崙越過阿爾卑斯山的一刻，先生都有莫可名狀的感動。那個科西嘉的窮小子，一七九三年以前，所有的經驗就只有困頓與失敗，而讓先生振奮的是接下去幾乎二十年，拿破崙的生涯與歐洲歷史莫可或分！然後再讀到莫斯科市民火燒自己的房子，先生便掃興地丟開了書。

先生戴上眼鏡，拾起茶几上一份報紙，兩天裡他第一次有力氣自己瀏覽：都是各地將領藉著停戰暗地增兵的消息；又說什麼吳佩孚住在雞公山上，正爲一場奇特的瘧疾所苦；馮玉祥決心下野籌備出洋，旅費業已籌得四萬元。先生同時苦笑起來：這個廣東孫君就是指自己，孫行轅消息就是他根據地的動向，民黨分子就是他親愛精誠的同志，包括先生前日到達天津，也成了冠蓋往來那一欄的內容。

先生看看又翻到下一頁去，美國新發明了押送罪犯的摩托車、莫索里尼有意往西西里島休養，……。邊欄則是補天丹、延壽酒、調精丸、白帶片、虎骨酒、化積膏、來福片、大喜丸……各種仙膏金丹，夾雜著寶珠出現的消息，分不清是新聞還是廣告，無非中國人不科學的種種證據。若勉強找出北方工業化的端倪，濟南泰康公司的紅燒牛肉罐頭，在報紙上佔了好大一塊篇幅，大概是最早的高級食品加工。凝視著一則代募賑捐的消息，先生歎了口氣，「啼飢號寒之慘，幾乎觸目皆是……況復賑卹未施，而兵燹隨之」，還有一方方的尋人廣告：「音信鮮聞，望見報速告知」、「確否見信，祈示數行，以慰知己」、「鑒自去年戰後久失通詢，見詢示覆」、「京津一帶徧尋無信，未悉鸞棲何方」、「久別想甚，未卜現役何地」、「聞汝投輜重連，不知現差何處」，先生打個哆嗦，感覺到地板緩緩上升的寒氣，這裡實在是自己所陌生的土地！先生想到北方，眼前就是枯旱的莊稼，龜裂的田畝，蓄大辮子的軍隊，不時倒在煙榻上抽兩口，憑著北洋一系牽扯不斷的厚誼隆情，即使有事都可以藉一場壽酒來解決，又因爲無從脫出的舊勢力，先生必須繼續敷衍此刻家裡正群英聚會的黎元洪。這位民國的大總統，骨子裡是見機行事的野心家。即使目前韜光養晦的光景，黎元洪還代李根源活動河南省長、代蔣作賓活動湖北省長，目的在擺出倚老賣老的姿態，反對段祺瑞上台後純用段系人馬。

想到這，放下報紙的先生無奈起來，黎元洪與他那批精於算計的同夥，其實，他們與發源在南方的革命何嘗有任何因緣？對於北方那一套舊典章舊制度，他們倒有強烈的依戀之情，儘管穿上了民國的外衣，只要一敍起北洋故舊，就讓先生知悉自己純然是個局外人。事實上，先生怎麼不明白？自己不曾出身世家，小時候常常吃不上白米飯，先生長在廣東香山典型的農村，由於家計拮据，十歲才入鄉塾，十四歲就到了檀香山，從此受的是西方教育。他所思索的與舊大陸的一切都格格不入，先生沒有中試做官的想法，也很少官紳文化的薰陶。多年來漂泊異地，在倫敦、紐約、三藩市，這些有華埠的地方，先生與洪門幫派來往，活像一名講義氣的大哥；到了純粹外國人的圈子，先生滿口英文，分明又成了進退有節的西方紳士。但對盤踞在北方的舊勢力而言，先生最多是個半調子、是個西化了的農民，搞些農民起義的玩意兒！不行，先生愈想愈不甘心，他只是在關鍵時刻缺少實力，到頭來，反而讓那些看不起自己的傢伙……睡在大煙榻上敍敍舊，就收成了革命的漁利。

先生閉著眼睛，記起自己勢必要更改明天進京的計畫，只因爲船頭受了風寒，先生不情願地想：不知道又將怎麼樣橫生枝節？引來怎麼樣一連串的誤會？

16

●

災難降臨了嗎？那些睡不著覺的晚上，她一遍一遍地這樣想。
災難降落在這片廣漠的土地上，她有清晰的預感，但她又絕對無能爲力。
她愈來愈貪戀的是S的那雙手，愈來愈黯淡的光線下，她不肯睡下，她不捨地望著她生命中最後的男人。

●

桂花的香氣裡，她心裡隱約知道，是她此生最後一次的歡慶了。
在後院子的陽台上，她拴上一排縐紋的紅綠紙，親手烤了個雞蛋糕，爲S作生日。切了蛋糕，吹熄的蠟燭捨不得丟掉，再點起來。她把手搭在S的肩膀上，煞有介事地教他跳四步。
她原本很會跳舞，無奈電唱機老是跳針，這年頭，也沒有可能換台新的。

他們靠在一起的影子在牆壁上閃爍不定，步子倒漸漸合上旋律，只因爲唱針一再滑進重複的溝紋裡。

直到桌上的燭光熄滅了，他們才在黑暗裡停住脚。

其實，她站定了想著，一九五四年新中國開始的時候，她就有了這種無以爲繼的預感。

●

S說他自己要去的是一個很冷很冷的地方。

她握住S的手，S的手沁著汗；她伸長胳臂摸摸S的臉，面頰上燙燙地熱。

S囁囁嚅嚅地告訴她，鄉下有個女人，早年圓過房，還生了兩個小女兒郁郁與珍珍。總得回家看看，去去就來。

別去！去了就回不來了，出了這棟宅子沒人能夠保護你。她在心裡呼喊著。但她說不出聲，她聽見外頭有卡車隆隆駛過，是換防的軍車？她有些走神，想到第一次見到S的情景。

這件事必須有個結束吧，她哀哀地想。到這年頭，周圍都已經一片灰暗了。

S臉上的溫度在她手心裡留了一會，又從指縫裡點點滴滴地流走了。

●

S揚起帽子向她告別，並不瞭解等在前方的是什麼樣的命運，但她知道，她知道自己所有的恐懼都可能成眞。

她站在二樓窗台前，看著S朝大門走，她突然悲從中來，想到最後一次看見鄧演達、還有最後一次看見楊杏佛，接著就是永訣的消息。

當年，她坐在汽車裡，她必須亦步亦趨，望著同志進〈申報〉報館去發抗議鄧演達被殺害的電文，她怕，害怕連電文也被敵人劫奪了去。

後來，她記得的就是S在雨裡揚起帽子，帽子上一顆五角星星，亮閃閃的，終於消失在黑暗的盡頭。

●

S走後的許多個夜晚，她躺在那張大床上，看著天一點點發灰發亮。

天濛濛亮的時間，總有半秒鐘，血液彷彿凝住了，她的心狂跳起來：她幾乎以爲門柄正輕輕轉動著，S會推門進來，溫熱的手掌按住她的腰窩，爲她在起床之前舒活筋骨。

●

形勢比人強，她也有失去了勇氣的時候。她問自己，難道自己就眼睜睜地看著S走出門去？她在窗簾後面望著他，當時下起淅淅瀝瀝的小雨，她的眼睛是一片迷濛的水霧。許多日子以後，她都聽見那輛軍用吉普在水窪裡發動的聲音。

多麼諷刺啊，她想起自己也曾經相信過海倫・史諾早年在〈上海婦女〉雜誌上發表的看法：「中國的女子，似比男子忠實勇敢的多。孫夫人是最好的例證！」

●

過了許久，時間都停頓在接到消息的那一點上！

先是S平安回到了老家。然後她收著了S酒後突然中風的報告。她知道，這一生再也見不到S了。

漸漸地，她才更明白少了S的滋味。凡是S那手絕活壓過的地方，好像有一排牙齒在骨頭縫中間咬，亮亮光光的針尖在肉裡攪，又癢又疼。

七十歲的人，她太老了。從頭再活一遍，也太遲了！

即使S恢復了，她心裡瞭然，沒有可能再見到他。不是因爲她會更老，而是她知曉時序的意義——他們倆沒有現在，就沒有未來！好在世上還有他的兩個小女兒。她設法要兩個小姐妹到上海來，郁郁與珍珍是S僅有的親人。

17

一連十餘天，先生的熱度時升時降，他在張園飯店養息。

這時候，北方報紙上滿是對先生病滯天津的揣測之詞，所謂「都門咫尺，何日降臨！」敦促的語氣裡，人們判斷感冒是假託的理由。有人以爲，先生正設法擺平國民黨內部親共派與反共派的紛爭，未解決國民黨本身問題以前，不便入京；有人則以廣州欠穩定的局面來懷疑先生，認定他爲了表明誠意，會先聲明取消廣州的建國政府。但也有很多人把先生看成投機派，趁機在天津觀望，弄成諸方擁戴的陣勢才肯進來。更多的人把他看成陰謀家，一面北上開國是會議，說自己「隻身北上，與公商榷國事，對於粵中軍事，早已放棄」，一面暗地在天津遙遙指揮軍隊繼續北伐，毫無與段執政提攜之誠意……

謠言誣指先生另有圖謀，甚至改變了北上的初衷，倒都是沒有親眼見到先生的緣故。這一刻，先生的臉上已經盡是病容，往日他令人驚服的革命精神明顯有消褪的跡象。先生自己明白，無數次的失敗、還有顚沛的日子，確實於他身上鑄下疤痕，他不那麼樂觀、不那麼勇往直前了。先生從來不是寡言的人，好辯原是他的特色，此時此刻，在客廳向段祺瑞派來的代表發過一場脾氣，很反常地，先生摒退左右，拄著杖，默默地踱回房間。

躺在床上，努力平緩呼吸的當兒，先生知道還不到棄子認輸的時候，但最不能夠忍受的就是目前的一無對策：聽說段祺瑞那套偷天換日的狠招之後，先生做的也只是發表宣言反對，並沒有別的因應辦法！先生揉搓著絞痛的心口，惱恨地想著段祺瑞果然老奸巨猾，竟然以與「籌安會」類似的一個「善後會議」，無非軍人政客把持的分贓大會，就魚目混珠，竄改了自己北上的中心議題——召開國民會議討論國是。當然，這只是段祺瑞釜底抽薪的一招，之前，他趕在先生抵達天津早幾天入京，匆匆拼湊起北京臨時政府，又在宣誓就職的典禮上表示「外崇國信」、「尊重條約」，這一切，也都與先生最重要的主張恰恰背道而馳。剛才，兩位代表進謁，他們把閣員會議那一份「以前所訂條約概當履行」的決議文呈過來時，先生簡直怒不可遏地吼著：

「我在外面要廢除那些不平等條約，你們在北京偏偏要尊重它們，這什麼道理？你們要升官發財，怕那些外國人，為什麼又來歡迎我呢？」

先生喘口氣，從床上坐起身，搖了搖茶几上的小鈴，叫人拿來上月初與段祺瑞的通電。先生看著就有氣：這一紙是行前收到的，說什麼「公元勛照耀，政想宏深，命駕北來，登高發響，此天下之所想望，尤南北合力統一之先聲」，那一頁是從許世英那裡轉來的，寫著「大元帥為手創革命之人，萬流景仰，非親自來京，不足以解決一切」，當時，報社記者面前，段祺瑞還虛矯地擺出「中山不北上，老段不出山」的姿態，現在可好了，等自己到了天津，段祺瑞卻在報上關於時局的談話中惡意地指稱：「孫大炮式撤廢不平等條約萬難附和」！

先生重新躺回到床上，想著自己不僅將無功而返，還要遭受自取其辱的批評。先生記起了這次北上就是一意孤行，打定主意才讓幾個老同志知道。那時候，看見曹錕下台，北方出現了某種轉機，先生心裡立即燃起新的希望。也怪先生始終過於天真，第一次如此，每一次都是這樣！先生之前來過北方兩次，後一次是上了袁世凱的惡當，前一次呢？先生想想更加沮喪起來，一八九四年，他那年二十九歲，已經清楚醫技不足以救國，天眞地想要上書李鴻章，那時候，自己的文字上不了檯面，同鄉鄭觀應肯幫忙，還找來太平天國的狀元王韜替他潤飾了一番。剛巧朝鮮東學黨亂，李鴻章正在蘆台督師，後來，王韜的朋友在李鴻章幕下當文案的，只傳回來一句話：「打仗完了再說吧！」那次，先生完全失去遊興，沒有盤桓幾日就回上海了。而這件上書的舊事，先生一直不願多提。除了其中不受重視的屈辱，那種上書，總不脫乞求朝廷垂聽的意圖。這瞬間，先生愈想愈覺得丟人現眼，恨不得徹底忘了才好！至於多年之後，總理信徒又將怎麼樣變造上書的舊事，甚至將他變造成與八十歲的李傅相平起平坐而縱論國事，那並不是此刻病在旅途中的先生有能力預見的前景。

先生望著窗外，樹上剩下幾片搖搖晃晃的枯葉，先生知道北上的目標已經成空，對著這些強橫的軍閥，說服工作根本不可能！這一瞬，先生記得很清楚自己在神戶時候講過狠話：「如果有人用軍人的資格，在會議席上專橫，不讓大家公平討論，我便馬上出京，請他們直截了當去做皇帝。」到今天，看見的都是最壞的兆頭，但先生眞能夠懸崖勒馬嗎？問題在於……即使扶病回去，他不在乎增添一次失敗的紀錄，卻也再一次證實他是個對現狀判斷錯誤的空想家。手邊不剩什麼籌碼了，先生不知道往後自己還有沒有捲土重來的機會？

18

●

就從這個時候開始？她體重又大幅度增加！她換上「毛裝」，穿平底鞋，與革命老同志站在一塊照相，沒有什麼裝束上的區分。

每個人終於都一樣了，沒有人比起別人更平等或者更不平等。她無所謂地想道。

問題在，她仍然不是一般人！她一向對農民只有概念性的瞭解。那次到田裡採棉花，雖然只爲了態度積極配合地拍宣傳照片，對她來說，已經是最接近民衆的一次。

「老妖精！」

她模糊地聽到這樣的咒罵，從她背後傳過來。她倏地回頭，田裡面一排排採棉花的農婦，聲音從哪裡來？每個斗笠底下的嘴巴都有可能，每張曬多了太陽的臉都一式一樣。

只有她，卻是佯裝的農婦。

●

全國響起鼕鼕的戰鼓，她知道自己的處境愈形危殆。

她早就不在任何的重要會議裡列名，關於她曾經祕密再婚的謠言充斥著市井。第一次，她知覺到孫中山的遺孀地位不能夠保護她。

●

她可以降格，從租界裡的上層社會到充滿同情心的知識分子。再往下，到了普羅階級，她下不去了。

她可以清晰地聽到批判她的叫陣：妳這個老女人，小資產階級情調太嚴重了。

●

她當然知道自己的生活方式絕對是捱批的對象。她曾經有的快樂一向與無產階級革命的教義相牴觸。

「我們的隊伍向太陽，脚踏著祖國的大地，背負著民族的希望，……」她摀住耳朵，趕快把這鼓譟的發了瘋似的中央台轉掉。

●

耳朵裡聽到的是毛主席，牆外都是高舉著毛主席相片的遊行隊伍，毛主席半身像的鏡框掛進她家的每一間屋裡。

標語牌經過的時候，外面一陣喧囂，望著從天花板垂下的吊燈搖搖晃晃，她告訴自己不要怕，什麼大場面她沒有見過！但她的腿不聽話地打著顫，她胖大的身體驚悸地抖了起來。

●

沿途都祕密安排妥當，周總理關照，要她北上是為了就近保護她。

隔著車窗，外面是一些灰白的曙色，街頭她記得的各式早點攤子顯然已經一個不剩，她只能夠費力地張望着，掛上橫幅與標語的法國梧桐是怎麼樣的蕭條景況。她簡直不能夠相信，舊日的上海消失的無影無蹤了。

突地一聲，車窗玻璃被什麼打了一下，露宿街頭的紅衛兵們卻好像被那劃過玻璃的聲音喚醒，她害怕地閉著眼睛，耳朵邊的人聲，千軍萬馬一樣地殺過來了。

19

先生由天津進京的日子是一九二四年陽曆除夕。那天氣候晴朗，但溫度偏低，風大。先生此刻的病體已經禁不住折騰，火車的速度比平常緩慢，鐵路局替先生預備了專車，計三〇八號睡車一輛、二一二號餐車一輛、一〇一號京奉包車一輛、一三二號津浦包車兩輛……，鐵路沿線皆屬奉軍的勢力範圍，儘管外人對先生的病情頗多臆測，張作霖總擔心這個時候再生枝節，通令津京沿路軍隊嚴加保護。張學良還站在天津的月台上恭送先生。當年的少帥雄姿勃發，天庭飽滿的面相看不出半生周折的命運，更看不出晚年他將慈眉善目地作一個虔誠的基督徒。

下午三時許，火車載著先生穿過奉軍的領地，到達北京市郊。這時候，北京地區的治安仍由馮玉祥遙領，過去三個月內，負責機構因為政局的改換三易其名。十月二十三日，馮玉祥倒戈回京之初，叫國民軍北京警衛司令部；十一月一日攝政內閣成立後，黃郛重新命名為京畿警衛司令部；十一月廿四日，段祺瑞的執政府又改作京畿警衛總司令部。無論什麼名稱，司令倒都是鹿鍾麟。鹿當時是馮玉祥的心腹，後來據鹿在回憶錄裡說，先生入京之前，司令部與閉居天台山的馮玉祥每日電話往返，馮一再向鹿表示，先生本由自己相邀北上，想不到，就在這一兩個月情勢逆轉，去了直系來了皖系，國民軍回師的意義已經消失，大局操控在段祺瑞手中，如果此刻與先生晤面，反而引起段的疑忌。馮只能叮囑鹿鍾麟小心保衛先生一行的安全。因此，鹿鍾麟對於前門車站擁擠的人潮尤感不安。他從永定門車站悄悄跳上車，希望勸的動先生躲過人群，就地在永定門下車。

鹿鍾麟把帽子托在手裡，急步走進先生的車廂。先生看到他愕然的一張臉，知道面前的人大吃了一驚，也許因爲先生不是坐著而是斜靠在臥鋪上，顯得尤其衰弱，先生不願意承認的是，自己的臉色灰白的像一張紙。先生很費力地握住鹿鍾麟的手，說了幾句客氣話，卻堅持依照原來的計畫在前門車站下車。

先生的估算並沒有錯，這個當兒他的安全無虞。下午四點二十分火車進站，前門車站紮著松花彩牌樓，一片萬頭鑽動。有人用白色小旗寫「歡迎」字樣，有人晃著大大小小的標語牌。副官們攙扶先生下了火車，先生的體力只能夠支撐他向歡迎的群衆微微點頭，幾乎脚不沾地挪了幾步又上汽車。坐在轎車裡，先生看見尾隨的車隊插滿了青天白日旗，他聽見好幾個鼓號隊奏著重疊的軍樂，望著車窗玻璃外的麗陽門與前門，先生想到這是個根據方位建築的城市，而地圖上中軸線的終點，曾經是他矢志推翻的目標，清帝早已退位，溥儀亦被馮玉祥的軍隊趕出宮去，不幸地是，先生依然有志難伸。辛亥革命十四年以後，在那塊僻處一隅的省份，先生沒有什麼軍隊、沒有充裕的財力、除了俄國之外沒有外國的支持，因此他必須隻身北上。相似的處境是一九一一年底先生回到上海，人們盛傳著先生的箱篋裡藏了巨款，甚至同志之間也存著這種指望，先生在記者會上的答覆是他一文不名，卻帶回來了革命精神。先生始料所不及的是等到今日進京，他仍然只有革命精神！

想著，先生勉強打精神，向窗外揮揮手。後面的車隊正向兩旁散放傳單，猶如一些飛舞在零度氣溫裡的彩蝶。「中山萬歲」、「革命萬歲」……，長安大街上一連迭地歡呼，就連天安門廣場上的枯樹幹也跟著聲浪起伏震盪，先生有點訝異於北方同志的組織力量，當然更重要的原因是這裡的人們愛戴我，但是先生愈來愈不敢這麼講了：「大多數中國人民，都是支持我的」，眞的嗎？近些年來，先生在各種場合說這樣的話，一直到他自己也分不清是不是眞的。過去十幾個月，先生卻意外地從俄國一場革命憬悟了些什麼，他開始反省到正因爲自己缺乏民衆支持，才必須不時地仰仗或依靠一位或幾位軍閥。換句話說，先生作爲國民革命者的局限性恰恰在於他不能夠發動群衆！自從他立志推翻清室，單憑主張、威望、說服力，其中最管用的是先生驚人的意志，革命勢力最蓬勃的時候，他所能夠策反的竟也只有學生、華僑、與一小撮依仗他的南方軍人，至於華僑，他更是激起他們熱情的專家，憑著先生賣冰給愛斯基摩人都會賺錢的第一流口才，一張張永遠不可能兌現的軍需債券，印著「此券實收到美金拾圓正，本軍成功之日，見券即還本息百元」，騙術奇譚一樣地辜負了華僑們的希望……

從前門到北京飯店只有短短一段路，先生已然回憶起自己半生的挫敗，問題是，自己的革命事業救了中國？還是給中國帶來更大的破壞？想著大軍閥橫行於中樞、小軍閥擾亂於各省的事實，而不爭氣的尤其是他那南方根據地！近一年，他致力於黨的改組徒然引起黨內分裂，整頓財政又引起外國與商人的反對，愈來愈多人認爲他糜爛廣東，商團鬧事更是致命的一擊，外國的〈密勒氏評論報〉甚至出口傷人，把先生說成「中國最黑暗的污點」……，車裡，先生頹然放下了答禮的手，一陣一陣地，他感覺到體內絕望的痛楚！

20

聽到背誦〈毛語錄〉的騰騰殺氣，夾著警車嗚笛的呼嘯、天安門廣場的擴音喇叭，她默然記起當年丈夫抱病進京的情景。

她想到丈夫最後的時日，賭的仍是這片土地上的民氣。後來過了一些年，民氣果然按著丈夫生前的預期澎湃起來，好運彷彿一度也眷顧過這個多災多難的國家，但丈夫必定再沒料到：最莫之能禦的民氣，是聚集到現時「革命無罪、造反有理」的北京城。

轎車裡，她裹緊那件舊大衣。民氣對她的亡夫，她想，還是開了一個蹩脚的玩笑吧！

●

這棟親王府改建的宅第中，天花板很高，牆壁厚重，一個個房間大而無當。她甚至找不到一處舒適的角落，讓自己可以縮起來，待半天下午。

夜裡，她醒著的時間愈來愈長。

黑暗當中，她帶著歉意地想起：結婚十年，其實並不太知道孫文的睡眠習慣。那時候，她自己睡得那麼好。年輕吧！連後來到了北京，陪伴病榻上的丈夫，她都很容易入睡。

守喪的時節她倒被惡夢驚醒，下面要怎麼辦？那時候她睜大了眼睛，不哭，她告訴自己，淚水還是撲簌簌落下。她坐起來找手帕，恍然聽見前一陣病榻上丈夫抑鬱的歎息。

現在，這無邊際的黑暗之中，她眞的哭不出來了。靜靜地環抱著滿是贅肉的雙臂，聽見的是自己喉嚨裡那種游絲一樣呼氣吸氣的聲音。

●

發呆的時間長了，無關緊要的舊事都想了起來：她記起當年跟丈夫一一見到的那幾位俄國顧問，馬林、越飛、加倫將軍、鮑羅廷。尤其首席顧問鮑羅廷，音色屬於低沈、清楚、從容的男中音，她很愛聽他不帶俄國腔的英文。而她丈夫，儘管那一陣口口聲聲「以俄爲師」，還是比她有算計，重要的是實用，可以爲中國所用，丈夫從不過份迷信意識形態一類的東西。

丈夫去世後幾年呢？俄國就開始大整肅，消息傳來：越飛自殺，鮑羅廷失蹤，加倫將軍給槍決了。在史達林的定義裡，人人都成了外國間諜。卻等到今天，她才眞正想通這是怎麼回事，原來理想性愈高的革命愈殘忍……否則，怎麼呑下去的淨是革命的兒女？

●

他們多少因爲她，才在一九四九後定居、入籍、貢獻新中國。路易・艾黎、馬海德、愛潑斯坦，這些帶著一腔熱誠來到中國的外國人，一個個正遭到點名批鬥。

現在，生死浮沈！她悽悽地想，不是她不管，她自身難保，顧得了誰？

●

把屋裡的燈全關上了，窗簾罩的密密實實，她有太多個漫漫長夜，回想自己到底做錯了什麼。

她背叛了出身嗎？家庭嗎？她的階級嗎？總之，她已經貢獻了一生、貢獻了青春歲月。還要怎麼樣？——問題在她的背叛仍不徹底，她模模糊糊地想著：他們要她背叛的其實是她自己，竟是自己曾經溫柔過的一顆心！

●

是魯迅的話吧？她依稀記得魯迅說，人生最痛苦的事情就是從夢裡被喚醒了而沒有出路。

如果還沒有找到出路，爲什麼要去叫醒酣睡的人呢？

北方天黑的早，她總是早早就和衣躺在她那張大床上。許多日子，她多希望就這樣一直沈睡下去。

●

她偶爾會夢到丈夫。住到北京以後，夢過孫文三兩次。

夢裡，總是在人群裡看見他，然後又變得不認識了，彷彿有一些改變，臉上的表情變了，那樣蒼茫的表情不是丈夫的——醒來細細地回想，她夢到了丈夫嗎？或者並沒有！她在壁燈的光影裡睜開眼，正前方只有毛主席的相片。她想，日子太灰暗了，難道她已經記不清楚丈夫長得什麼樣子？

●

她表妹死了，汽車間裡上的吊。在她心裡宋家完了，整個上海也跟著沈淪下去。

「自殺是一種罪行！」她嘴裡喃喃地唸。不能死！她告訴自己。

泡在浴缸裡，她很希望就這樣讓水漫過了頭頂。她想，如果自己去選擇死亡，那感覺也許像水一樣，不管多麼粗糙的外界環境，一瞬間依然可以是溫暖濕潤的。

不能死，她告誡自己！

這年是一九六八。

●

死訊從海外傳來，病歿的是她最小的弟弟子安，只有這樣的刺激強度才會在她心底掀起漣漪！那種強度，竟讓她知道，她仍然可以覺得痛。痛的時候，她甚至遙遙地憶起自己一生中唯一的妊娠，接著就失去了未成形的胎兒，那樣的痛彷彿源自身體裡面最深的一點，然後放射狀地散播開來……

他們相差好些歲，子安從來都是稚弱的。他們已經分開這麼多年，平日她甚至不曾想起子安，但她是愛他的。他與她不曾談什麼話，見面機會也不多，或許愈是這樣，她愈在心裡寵愛他。

直到世界上沒有子安這個人了，才讓她確切地知道原來最珍奇最稚嫩的東西也會死掉、化爲灰燼。之前，她似乎並不知道。作年輕遺孀的時候她也一樣地懵然無知。後來經歷那些政治暗殺，她震動、她悲憤，那又是不一樣的感情。這一次，她不時記起子安的臉，多麼完美無瑕，像希臘神話裡的美少年。

接下去的一些日子，她持續地想到死，而奇怪的是，是S在中風前的面貌，以及記憶中S的手指觸摸到她身體帶來的快感，橫梗在她與死亡之間！

21

是進京的第幾個早晨？先生在晨曦中醒來，他的時序紛亂。身旁的人模糊地聽見先生的囈語，先生在囈語裡說的是廣州，他得而復失又失而復得的城市。這時刻，先生仍然被昨晚的消息驚擾：陳炯明已經自稱救粵軍總司令，正會同林虎與江西方本仁各部，再圖進犯廣州！睜開眼睛，先生恍惚地看到斷斷續續的烽煙，珠江裡流動著黃滾滾的泥水。那個城市滿佈他失敗的紀錄，一場豪雨下過，路面上飄盪著白茫的蒸氣，先生想到瘴癘、想到肆虐的傳染病。他定睛看，在魍魎的氣氛中，與自己患難與共的艦艇燒成一團一團火球，泥沙淤積的三角洲上，落日噴出了血的顏色。先生眼看著浴在紅光裡的羊城街市再一次經過兵災，飽受驚嚇的女人躲進壕溝裡面，穿邋遢軍服的兵丁，像行獵那樣地狺狺地追捕她們。難道這就是自己革命的建樹？滿地斷瓦殘檐，還有他居住過的粵秀樓，當年是龍濟光的產業，說什麼登樓遠眺／珠江風物／畢覽無遺，現在卻像焦黑了的空中樓閣。先生但願自己遠離那個城市，走得愈遠愈好。事實上，每回他經過一段流亡的生涯再回到廣州，輪船進港的那瞬間，先生不但沒有返鄉的渴慕之情，反而有從此困守此間的恐慌。這些年來，總有人提出「粵人治粵」那一套，動輒有人說什麼就地建設模範的新廣東，先生調兵的時候，也有人擔心「客軍入境，亡省可虞」，爲什麼他們不能夠瞭解整片土地是一個國家的規畫？對陳炯明，統一的中國是太大了！

念著那個叛逆的名字，先生倒清醒多了，揉著眼睛忍不住啐幾聲：我還沒死——讓他去痴心妄想吧！

老實說，先生怎麼也算不到陳炯明會卑鄙到那種程度，不僅破滅了先生的北伐大計，竟妄想置先生於死地，先生更痛心的是因而在革命同志間立下的惡例，看在愈來愈講究黨內倫理的先生眼裡，這樣的叛離不只是綱紀之毀、倫常之變，絕對是犯上與悖主！當然，先生惱恨的理由尤在自己確實信任過陳炯明，深喜得人的時日，曾經將那小子比喻爲「民國元年前之克強、民國二年後之英士」，而現在回想，也怪倒袁之後，一場生聚教訓，還是沒有讓先生悟出本身擁有革命武力的重要性。袁才死，先生就通電各地罷兵，不久又命令召集起來的中華革命軍解散回家，於是，討袁戰爭所攢聚的一點軍事力量也喪失乾淨。後來先生被軍政府趕出廣州，先生東山再起所仰仗的槍桿子只有陳炯明。另方面，更要怪先生從不喜歡軍權，他寧可宣揚自己的信念，而先生相信的又一向是學說與主義的說服力量，要不就倚靠同志間私人的情誼。然而到了關鍵的時刻，這些都不作數，先生少的是一支軍隊、一支堅強的革命武力！這始終是他的痛處：除了沒有軍隊，先生也沒什麼領軍作戰的經驗，結果是他對戰爭的情勢估計不清。還記得更早以前在倒袁戰爭伊始，先生就放言高論，如果有兩師兵力，我自己帶他們去跟袁世凱算帳。當時譚人鳳立刻不客氣地頂撞道，請問兩師兵從哪裡來？眞的，兩師兵是多少人？能夠做多少事？先生從未認眞地想過！

此刻，在彈簧床上側過身，先生瞪著自己分明是文人的一雙手，瘦得露出了骨頭，更文弱了，他又想起自己身穿大元帥服的古怪樣子，戴白手套，外加一頂高帽子，那是一九一七先生南下護法的制服。之前許多年，名義上先生領導革命，唯一親自上戰場督師的時刻是在鎮南關，震耳的炮聲中，先生望向他的革命同志，他看見黃興因爲烽煙而出奇煥發的一張臉，先生可以想像必然是某種亢奮的狀態……先生在炮台周圍挪移脚步，卻感覺到自己不住抖動起來的小腿肚子。直等到一九一八年，先生的機會又來了，那回他眞的穿上大元帥服坐鎭船頭，指揮海軍炮轟陸上的基地。正是軍政府時期，桂系的莫榮新驕橫跋扈，往先生大元帥府裡抓人，居然還遽行槍決。先生氣的橫了心，硬要同安、豫章兩艦炮轟督軍署，艦長猶豫著不敢答應，先生站起身，乾脆指揮炮手直接發令。與陸軍比較起來，先生的現代知識始終讓他在感覺上更熟悉海軍。後來陳炯明叛變，先生的親信部隊也只有海軍艦艇。那時候，先生沿小路奔逃到海軍總部，帶著像七巧板一樣浮在水面的七條船，駛到白鵝潭，漫無目標向岸上發炮洩憤。而不幸地，即使先生麾下可憐的幾條軍艦，總有人用鉅款用厚利企圖收買他們。事實上，先生這些年看過太多的倒戈醜劇，值得信靠的將才屈指可數，算來算去，也只有朱執信、鄧鏗、許崇智、蔣介石……、朱、鄧兩人又都先後罹難。再早之前呢？黃興那張軒昂磊落的面孔，再一次出現在先生昏沈沈的腦際。

先生，你只代表民國，黃興穩重的聲音在他耳朵旁邊悄悄地提醒著，你不代表權柄。可是民國與權柄以及作爲權柄後盾的軍事實力可以分開嗎？——這些年裡，先生終於學會倚仗槍桿子，這就是他從讓自己筋疲力竭的政治裡所學到的寶貴教訓。而緊跟著來的問題是，當他終於知道要把握住什麼，他必然同時也交出去了一些什麼！先生想起黃埔登台拜將的典禮，先生就親自交出去了一顆校印！先生繼續想著那位個性比自己更躁急的蔣介石，先生從沒有看過一個人穿軍服是那麼合體、而且英姿颯爽，但先生還是忍不住的焦慮，或許憑著他並不爲人稱道的政治直覺，先生從那位自許是他門生的年輕人臉上讀出了一些警兆，或許也預見到日後宣稱合法的繼承人將藉著政治事件翦除革命老同志，並與他的遺孀展開多年的鬥爭，甚至處死政敵的時候說自己在保護夫人，以致讓總理遺孀的醜聞無以傳出。當然，先生所無從預見的是：另一個角度看，夫人在先生身後的政爭裡必須選擇一邊，那才是醜聞的來源！無論如何，都是些言人人殊的爭議，先生管不得那麼多了。無論如何，這一刻不是向遠看的時候，只顧眼前，也因爲中國的黑暗太深沈了，先生希望中國走出黑暗的心情太迫切了。況且，一次次的失敗教訓，先生已經看清楚本身的限制，他清楚自己的革命一無進展，除了種種外在因素，也在於作爲一個革命家，他的性情又過於溫和，哎，他怎麼不知道呢？在所有的革命行動中，總是放手一搏的人才可能獲得最後的勝利！

22

●

她的心情一直是個倖存者，經歷了那麼多的滄桑，卻苟延殘喘地活了下來。她生命中的男人——無論她仰慕的或者仰慕過她的，一一都歸於沈寂。她比他們，活的都長。

●

文革終於顯出了到尾聲的跡象，其實，在她自己的感覺裡，部分的她早已經死掉了！但她似乎還在死亡的過程當中：她一點一點地死了，卻還在等死。死亡原來可以像牛皮糖一樣拉得那麼漫長。

比起來，她的丈夫在三個月內死去，算是匆忙的了。「勇者死一次，懦夫死千回」，倖存下來的宿命就是要看著往日的理想都灰飛煙滅。那麼，比起來，到底誰比誰更需要勇氣？她與丈夫，誰比誰更像一名勇者？

●

有一夜她做了惡夢，自己正蹲踞在地下，面對面也蹲在那裡的是她妹妹美齡。兩個人俯身向前，老虎狗一樣地對望著。她們怒視著彼此，兩人的眼珠都不會動：

——是哪一方的機槍剛掃過去？

——死的？活的？

——為什麼不倒在地上呢？

醒來的時候，她還喘不過氣。明知道是當年在廣州逃難看見的一幕慘劇，她的心砰砰地猛跳！

幾天後，傳來的倒是妹夫蔣介石的死訊。

●

海外捎進來一幀相片，她立刻可以感覺到，妹妹美齡眼睛裡的光芒急劇地暗淡下去。

蔣經國順利地接班，她知道，妹妹即使不立即出國，海峽另一岸，也沒什麼妹妹能夠扮演的角色了。

她想想就覺得無趣透頂：這一回，她與妹妹之間，剩下的是誰比誰更長壽的競賽！

●

她平靜地聽著毛澤東的死訊，然後警覺地換上一身黑府綢的褲褂。她與毛同年，也都有菸癮，她早年還勸過毛別抽的太兇。

沒多久，她聽到江青入獄的消息。其實，自從毛死，她就預期這是江青難以避免的下場。未來的贏家是誰？必定是挨過來了的、沈住氣默不吭聲的人！她猜也猜得到。

●

災難過後，她是劫後餘生的心情，只想到盡力照顧故舊。

癱瘓在療養院裡的S現在幾歲了？她不敢去想，她可以接受自己的年齡增長，但S，永遠停在那一點、他們分別的那一點上！……這樣，她就永遠是一個三十歲男人的情感對象。

她想，倒該去積極找尋失散了的那對小姐妹！

23

北京飯店五百零六號房間裡，先生不見客、不發表談話、謝絕一切應酬。生平第一次，先生成爲聽話的病人。但他仍然關注外界的情勢，只可惜，廣東沒有傳來任何令人欣慰的消息，北伐軍譚延闓部隊自江西退回到廣東邊境，與陳炯明一個鼻孔出氣的方本仁出兵佔了贛州，其餘各地，戰事依然膠著。讓先生勞神苦思的尤其是善後會議已經箭在弦上，先生煩惱的又不只段祺瑞數日前公佈的善後會議條例，而是先生到現在才知道，段祺瑞揀在先生由天津出發的前一天，通令各方，二月一日就是善後會議的會期。

昨天夜裡，先生徹夜不能闔眼，爲了做出適當的回覆，本黨同志是否加入由段所壟斷的善後會議：一清早，汪精衛站在先生的病床旁，等待先生口授的方案。先生大致說了幾句開場白，就看著汪文謅謅地寫下：「屢欲以入京晤對之際，繼續抒其衷曲；無如疾久未愈，遷延至今。現距善後會議開會之期已近，……故強支病體，罄其所欲言，幸垂察焉。」然後，很克制的，先生在回電上提了兩個條件，一是除了段認可的軍人政客，先生希望實業團體、學生團體、商會、農會等也能以人民團體的名義加入。二是會議事項中涉及軍制、財政的討論，最後決定之權，應還諸將來召開的國民會議。先生做的其實是極重大的讓步啊，當那一顆代表先生的小印章由汪精衛蓋了上去，先生有意地偏過頭，不願看見自己口授的電文是如此低聲下氣！

十行紙總算摺疊起來，下一刻，先生還愣愣地審視著此刻在身邊收拾筆墨硯台的精衛，寫得一手好字，又生了一張和悅開朗的面孔，眼前的人怎麼看都沒什麼心機。比起自己敢於下注的賭性，以及爲了要贏——隨時可以改弦更張的熟練，精衛純粹是一位書生才子，憂鬱而情緒化，雖然謀刺攝政王的故事人盡皆知，本質上，精衛卻不是「飮刀成一快，不負少年頭」的果斷男兒。先生知道，精衛很容易傷感，接近他性情的寫照，毋寧是二次革命時期作的詩句，像什麼「欲上危樓還卻步，怕將病眼望中原」。後來先生在日本號召同志，精衛也繼續浪跡海外，詩文裡盡是對暮春三月江南勝景的思念、以及與女人的相思之苦。個性中難分難捨的這一面，先生沒有：「雙照樓中人底事，莫教惆悵首飛篷」之類的心境，先生從來也很陌生。先生可不是兒女情長的人，因此，先生愈發相信精衛對自己忠貞不二，不只因爲十七歲的年齡懸殊，也因爲精衛心理上需要依附一名個性堅強的領袖。

精衛告退之後，先生還在思索往後同志的出路、以及國民黨將由誰領導的問題。事實上，先生覺得病況就會改善，不久，他會好起來，而這一個月的時間在病床上思前想後，他眞的很想脫離政治舞台，至少脫離一段時間。可惜代理人選一直是放心不下的問題。最近一年多，這問題尤其複雜，左派與右派的鬥爭方興未艾，黨內沒有人替得了他，即使是他，多次靠著私人的交情才未把萬難調和的情狀鬧得人盡皆知。就像在改組國民黨時自己對鄒魯說的：「精神脈脈相通，共向革命，完全在情感」，事實上，先生知道，同志的情感又都集中在一個人身上！先生望著擺在床邊的權杖，金質的把柄閃閃發光，經過多年的顛躓，他愈來愈知悉了領導中心的重要，那時候二次革命失敗，先生開始覺悟黨內人心渙散，正因爲自己是個木偶、是個假的黨魁，到了中華革命黨成立，服從命令乃是同志最重要的條件，「凡入黨各員，必自問甘願服從文一人，毫無疑慮而後可。」黨員需要向先生個人宣誓效忠並加蓋指模，固然黃興堅決反對，認爲宣誓是附從一個人革命，意味著極大的不平等；捺指模又像犯罪的人寫供狀，黃興覺得太受侮辱了。但先生自己從來不曾懷疑這種規定的正確性。對先生來說，他是學習著掌握歷史的樞鈕！此後，他不忘在黨證上放置自己的照片，他執意要在文件上一一簽寫自己的名字——成爲鐵證如山。就由於黨與先生二而一的不可或分嗎？繼承人的問題尤其困難。先生一一想著這些年最接近的同志：論資格首數漢民，但胡漢民是薑桂個性，說話尖酸刻薄、盛氣凌人，簡直不懂政治的藝術。論才幹首數仲愷，生了一隻尖而小的老鼠臉，眼睛骨碌碌轉，腦筋裡都是不錯的主意，妻子何香凝也確實有長姐風範，她是同盟會時期人人親切叫喚的「御婆樣」，大家都喜歡上她家叨擾她。然而廖仲愷的旗幟鮮明，在廣東整頓財政被人罵的狗血噴頭，負責國民黨改組又惹起了許多非議，甚至成爲右派的箭靶子。以大局著眼，先生不能不多所顧慮。

這個當兒，先生卻兀然地想到了老黨員尤列，那是先生在西醫書院的老同學，當年還有楊鶴齡與陳少白，喳喳呼呼地常在楊家老宅楊耀記聚會，談革命也不避嫌，被人叫作什麼「四大寇」。其實民國成立，先生與這幾個少時的朋友並不親密，像小先生一歲的楊鶴齡，雖然村裡一齊玩著長大，後來先生恨不得與他切斷過往的關係，省得他打昔日的旗號四處招搖，還在與先生的信上不知天高地厚寫著：「始謀有我，收效豈可無我乎？」但這一陣子，窗外是北方枯寒的天空，許多原先想不起來的事都浮現在先生腦際：時而劇烈起來的疼痛裡，先生恨不得再去走一次老家旁邊的小路，再一次跳進村子那條蘭溪，溪水那麼清涼，六月的盛暑天氣，茅草搔著後頸，眼裡是閃爍的水光，幾個翻滾之後，他鬆開手臂，只覺得偏體通涼，身體輕飄飄的浮在水面上，……病中的光陰悠悠緩緩，似乎又有某種看不見的陰影緊緊催逼，先生多願意細細地回溯過去，再走進十歲時候讀書的宗祠，找一找石板地上的刻痕；坐在大榕樹底下，聽老人講躲長毛賊的故事；摸摸門前親手栽種的酸枝樹；沿著田埂，去到傾斜了半邊的北極殿裡，將當年搗毀的神像扶扶正。重來一次多麼好，他會怎麼樣努力地記住每個遺忘了的細節？——想著過去，先生心軟了，老朋友的面容清晰起來，陳少白已經在銀行裡有了差事；楊鶴齡做了港澳特派員，大小總是個官；這分秒間，先生很願意找尤列出山，做個掛名的領袖。爲什麼不呢？除了尤列沒有明顯的派系是個優點，先生也記住了革命的傳承，將來一一算起，同盟會要上溯到興中會，興中會再往上溯，那才是薪傳的起點，……這些傳承、源流、後世看法啊，對先生說來曾經屬於封建的想法，這個時刻，卻好像一個孜孜煎煎的火種，在他頭殼裡四處燒灼，折騰了他大半天。

下一回，當先生又從昏沈的夢中醒來，摸著溼了一角的被子，他想不明白額上的汗水究竟哪裡來的。

● 24

外面什剎海已經開始化冰，她想，如果站在銀錠橋上，就應該聽的見冰塊互相推擠的聲音。

她總在猜，化了冰的什剎海是什麼顏色！灰的？藍的？會不會倒映著岸邊行道樹的枝枒？

北方有些什麼樹呢？她只知道不會是法國梧桐。她時時記著自己上海的家，霞飛路的白色洋樓，多好的後院，方方的一大塊綠草如茵。她可從來不喜歡什麼庭台樓閣假山假水。

她愈想愈討厭這幽深的宅第，她活了八十年只換來禁錮的生命——這座王府、這個北方城市，對她來說，沒有愉快的記憶。

許多年前，她的丈夫在此地病歿。現在，難道又輪到了她？看起來，她甚至不能夠老死在自己喜歡的房子裡。

回不去南方，她悽愴地知道。

醫生說她不能夠出門，更遑論去遠處旅行。回不去南方、回不去她的好年頭，她作夢似的想起南方這時節的霏霏細雨。

●

最終獲得全面勝利的，只有時間！

她想著這不聲不響的時間，讓自己變成一個動作困難的老婦人。望著手臂上無故紅成一片的腫塊，奇癢無比，她想倖存下來啊，原來就是讓人再一點點地失去所有．．失去記憶、失去行動力、甚至失去活著的尊嚴。她試著搬動自己沈重的身軀，即使這樣想想，都累的喘氣。而她現在所有的盼望，就是等人拿藥膏來塗抹搔癢的地方。

●

她有時候醒來是在哭的，腮邊有眼淚，方才涕淚交加的哀號過一回？．夢醒了，她又變成這個眼睛乾枯的老女人。

夢中，她還惦記著S的那雙脚，脚跟有幾處凍瘡留下來的疤。脚趾瘦長而俊美，白蒼蒼的，在她上海家裡趿拉著塑料拖鞋。脚背上好像灑著一層淡淡的月光。

這麼多年後，中間經過了一場文革，她憬悟到S畢竟很委屈。就在夢裡，忘記了自己行動已經多麼不方便，她俯身，前所未有的，像S爲她做過多次的，她捧起S的脚板，輕輕爲S按摩著。

還有一次作夢，低垂下百葉窗，她的浴室便浮動著一種不尋常的旖旎：盆裡是溫暖的水，S爲她搓背，她全身放鬆地臥在盆裡。等到水要涼了，S才噗通通驀然起身，站直的那一瞬是背對著她，在夢裡，她只記得S的屁股白皙而平扁，有巴掌大一塊青青的胎記。

醒來，她怔忡了一整天。她撥電話向上海那邊的人交代，要再次提高S的級別，讓S在療養院裡受到高幹的待遇。

25

根據先生貼身副官馬湘的記載：一月二十日之前的幾天，先生健康狀況出奇的穩定。

躺在床上，先生耗弱的目光卻還在追尋窗外微薄的生機。事實上，望出去灰蒼蒼的一片，北京的冬天見不到什麼綠意。矇矓的光景裡，他彷彿看到起伏如女體的山脈，就在山脚下面，無風自落的芒果與楊桃鋪了滿地，喔，先生知道那是孫眉在茂宜島的農場。想起自小照顧自己的兄長，先生有一瞬失神：當年爲了革命，自己總向孫眉要錢，每次都是整萬的拿走。民國初成，有人推舉孫眉作廣東都督，自己認爲不宜，孫眉到南京理論了一番，當然說不過先生，也就沒趣的走了。四年後，他的兄長故世。先生對於自己親人一向不厚，除了那年整修故居，她始終沒替家族出什麼力，其實這些年裡，先生又何嘗存什麼私心，爲自己攢過一分錢？

先生翻個身，望著伏在他毯子上的妻，大概是守了整夜睏極了，這一刻睡的那麼安詳。先生想伸過手去，撥開她落在眉心的一綹亂髮，才警覺到自己衰弱的連舉起胳臂都很困難。他看看妻端麗的面容，近來瘦了一圈，光線裡卻有奇異的冶艷。先生想起老同志對自己的婚姻一向存著許多意見，年齡的差距那麼大，沒有人贊同這樁婚姻。當時胡漢民、汪精衛、朱執信、廖仲愷紛紛出言反對，好幾次，先生用存心在耍賴的話，什麼「我是人，不是神」，什麼「你們是可以到外邊去玩，我是不可以的」，總算封住了老同志的嘴。現在自己病在床上，一定又有人用年輕妻子的需索來穿鑿附會，他們冤枉了她，妻子對慾望並不那麼熱中，也許因爲懂事，怕丈夫傷身體，還有一種刻意的抑制。是因爲壓抑的緣故嗎？妻子臉頰帶著淡淡的紅暈，眼窩處又有一塊明顯的桃紅，像現在這樣閉眼睛的時候就尤其明顯。等她脫了衣服，總好似處女一樣，羞答答隨人擺弄，乳頭也是小小的，像花一樣含著苞，含在口中用力吸吮，沒什麼滋味，卻感覺到肥皀洗淨了的爽潔。倒是自己，時常在妻子身上證明什麼似的，賣力地找到一處妻子特別喜歡的地方，興沖沖地聽女人差不多到了火候的呻吟起來……

事實上，看在先生眼裡，妻子的舉止莊重而得體，有一種出自名門的矜持，或許跟衛斯理女校的教養有關。先生記起了妻子爲他朗讀英文書籍的時刻，冬天壁爐火光熊熊，妻子軟軟的美國南方口音，常讓他心癢癢的興奮不已。那時候在上海租界，莫里哀路二十九號的住宅裡，先生埋著頭著書，度過他一生最低調的兩年。晦氣到寫出書都沒有書店願意印，商務印書館就藉口以「政府橫暴，言論出版太不自由，敝處難以抗」拒絕了他，結果先生還要自己出錢找華強書店印刷。但另一方面，先生在租界裡作寓公，可是前所未有地過著隨意的日子。房子是華僑送的，不用花錢，平常飯菜很簡單，偶爾有訪客，就去「小有天」吃福州菜；若是唐紹儀到家便飯，叫一隻滷水肥鴨加菜足夠了；老鄉伍廷芳來下棋，更毋須多麻煩，伍總是飯前就走，不會留下來吃飯。那時候，先生出門沒有車，遠路就雇輛馬車，根本不擔心安全，他已經是失勢的人，什麼人還要找他麻煩？先生也喜歡與妻子閒閒地散步去買書，有時候去四川路、有時候去福州路棋盤街。他經由書店訂閱了一部英國出版的航運年鑒，因而知道了很多船隻噸位、吃水的情形一類的事。

雖然經濟情況拮据，回想起來，就在那棟法租界的洋樓裡，先生的日常生活倒第一次上了軌道：每天早晨，他固定喝一碗炖燕窩，午飯後，吃一個煨熟的蘋果，多年來的胃病都顯出痊癒的跡象。晚上，先生最喜歡做的事就是在桌上鋪開中國地圖，勾出渠道、港口、鐵路，一遍遍用紅筆綠筆圈點。鐘敲九響，妻子準時送一對姪孫兒上床睡覺，孫乾孫滿兩個死了父親的小兄弟暫住在家裡。那時候，他眼看妻子彎下腰爲孩子們鋪床，常常油然地想著就這樣天長地久下去有什麼不好！但當時先生心裡也知道，他騙不了自己，畢竟是不足的！自稱「閉門著書，不理外事」之餘，他可沒有一日不在密切地注意南北議和的發展。那時候，北方的大總統是徐世昌，南方代表中有先生的代理人胡漢民，胡漢民要求國會必須行使職權的主張，完全出自先生的授意，因此，議和沒開始已經注定了破裂的命運。而牌局的另一方，直系與桂系軍閥正眉來眼去，同時，先生也與皖系的段祺瑞暗通聲息。那是先生少數玩起政治手腕的一次，爲了跟老段牽線，先生假借遊覽西湖的名義，偕同夫人去了一趟杭州，浙江督軍盧永祥是皖系的人。就在西湖景色最好的李莊，盧永祥傳話，段祺瑞願意做出支持先生返粵的承諾。有了這樣的保證，後來先生胸有成竹地回到廣東，當上非常大總統，直到陳炯明叛亂

——想著，先生又覺得枉然，再巧妙的機關只是白費心思，結果，陳炯明那畜牲壞了他的大計，看起來，老奸巨猾的段祺瑞終於也作弄了他。最不划算的，當時滿腦子政治交易，先生心不在焉地錯過了西湖的景物，其實，那是很難得的一次，他與夫人一同尋幽探勝，而現在先生努力回想，勉強記起來的是妻子打一把白洋傘，在湖邊上站站就很怕太陽，大概正爲長期折磨她的皮膚病所苦。其餘的，都不記得了。一生中，其實他無數次疏忽了身旁的女人，他總是思索這一件事，又急著去從事另一件事，不論是同志間需要調和的矛盾、陸地上需要擴充的版圖，都讓他全神貫注。有時候，先生也爲自己的粗心大意十分自責，旋即卻又原諒了自己，總以爲往後多的是時間，還可以慢慢彌補。眞有彌補的機會嗎？這一刻，先生倒記起來他們婚禮上的朗誦詩：

「你愛的是春天，我愛的是秋天……如果你向前進一步，我往後退一步，我們就來到熱烈的夏天！」

——人怎麼能夠遷延季節？先生澀澀地想著。由秋天，他走到生命的冬天，但他的妻子將要入夏，是一個等待雨露滋潤的婦人。先生歉意地看著妻子彷彿掐得出水的肌膚，絕不相信自己會在她愈來愈需要男人的時刻與她永訣！

26

●

回顧這一生的經歷，對她而言，政治是虛擲了精力的迷航！

左與右的路線對她已經失去意義，所有的航道都指向層層煙霧，各式修正主義更充滿了卑鄙的謊言，她走不出眼前心力交瘁的感覺。

●

王府的夏日炎炎，電風扇運作不過來。她只好又泡進搪瓷的浴缸裡——

她一霎時想起當年，丈夫鼠蹊部也有絨絨一團的毛，顯出一層黯淡的灰色。這麼多年後她才知道，除了頭髮會白，各個部位的毛髮都會變顏色，原來那是高齡的過程！

水紋中，她望望自己的恥骨下方，泛著那種激不起任何慾望的鴿灰，她說不出地嫌惡自己這一具漲大的身體。

浸在水中，她悲哀地想著：到現在，自己身上除了枯涸的器官之外，再沒有任何女性化的東西。這麼說，即使一生最寶貴的還是情愛，這情愛的容器又在哪裡？

在記憶裡！她想起來了。她的嘴角驀地綻出一朵燦爛的微笑——她確定地知道，她的情愛存在記憶裡……

一霎時，她劫後餘生的臉上現出某種光輝，經過災難的眼神依然清澈而明亮。似乎在她眼前另有一個出塵的世界，讓她穿出多少年的滄桑，輕易地就渡回到河的對岸去。

那個世界始終是乾淨的，男人的權力鬥爭裡總摻著或濃或淡的血腥味。這一生，她沒有故意傷害過一個人，她手上可是清清白白！

27

過了一月中，北京的天氣不一樣了。天上一絲雲也沒有，地下見不到丁點濕意，只是乾冽的冷。盯著天花板，先生能夠感覺自己燥熱的鼻息，舌頭周圍，嚐的出苦澀的味道。

熱度下去的個把鐘頭，先生勉強可以翻轉身子。對著厚重的窗幔，先生費力地嗅著，他不知道屋內瀰漫的是什麼氣息，藥水的味道？濃濁的花香？下個瞬間，先生鼻腔裡充塞著軍服散發的霉腐氣。想到這一生不可挽回的挫敗，後人將怎麼樣覺得自己愚昧而可笑，先生的情緒就像他此刻的體溫一樣極度不穩定：自己錯估了民意嗎？舊王朝倒了，他曾經以爲這塊土地上有莫之能禦的力量，只待自己鼓吹發動，浩浩湯湯的民主潮流裡，他的建國藍圖便有機會在這片土地上實現。爲什麼不呢？——如今病到這種地步，先生還是相信嗅見了那股風氣，民意站在自己一邊！只是差了一步，關鍵時刻自己差了實力，就弄到滿盤皆輸！神智還清楚的此刻，先生仍然對本身的政治直覺深具自信，他能夠感覺到民心的走向，只要再給自己一些時間，他又可以把摧枯拉朽的革命力量押注在他發明的主義上。坦白說，他的主義優點是兼容並蓄，只要將民族、民權、民生設定爲政治社會的三大範疇，試問中國日後遇見的各種問題，哪一種能夠逃出這三項基本範疇之外？但另一方面，先生旋即又頹唐起來，民智依然未開，自己難道還在迷信學說與主義的啓蒙力量？問題是除了學說，自己並沒有掌握其他的力量！可憐他的親信部隊只有一小股，最多時候從未超過三萬人，看起來就沒有打到長江威脅北方軍閥的能力；卻爲了維持那幾乎不可能的軍事冒險，他的籌餉局正在做變相的搜刮，當地的大小軍閥把稅捐截奪了去，政府必須靠賭場與鴉片交易作主要進項。而他眞正是窮昏了頭，上次，居然在公開的場合說出賭博合法化是一種需要！

眼前一團團的黑影，先生的腦袋裡走馬燈似地轉著念頭，還在思忖爲自己辯護的話語，他的呼吸時而急促起來——不去賣公產，拿什麼作餉；不開放賭禁，怎麼出兵北伐？——先生感覺到地面上升的寒意，雖然屋裡的暖氣管正嗶剝有聲，冷風卻像細小的針，刺入他的每一處骨關節裡。他的牙齒上下對撞，哐噹噹地打著顫。同時，先生記得的是那時候聽說客軍已經把廣州搞得不成樣子，他血脈僨張，當著幾位下屬的面，先生忍不住用頭去撞牆。

剛巧這天上午，先生的老朋友吳敬恒又到北京飯店探視先生。吳敬恒是應「清宮善後委員會」之聘，參加清宮藏寶的檢查工作，就住在離北京飯店很近的南池子，常常散步過來探病。吳敬恒坐在床旁邊，先生正囈語似的吐出些不連貫的句子：中國是難以統一的，廣東是一死地，張作霖從頭到尾都沒有合作的誠意，陳炯明啊，你總不能教我不革命，……吳敬恒望著先生高燒中的面色，認爲不能再等，應該遵從幾位醫生的建議，趕緊準備擔架，把病人送往隔著一條王府井大街的協和醫院裡去。

28

●

王府院子裡又新種起各種花草，石榴、紫荊、桂子、海棠、月季，移進來了成株的臘梅，還有一蓬蓬的萬年青。上面有交代，十年浩劫過去了，萬年青的名稱討個囍氣，鋪成壽字為她祝嘏。

她可不願意底下人拉高對著院子的窗簾。她寧可眼前是一片幽暗，只有梳妝台上的香水瓶子閃爍著蠱惑而曖昧的光彩。

她的好年頭，都存在暗香的記憶裡……

●

她想著做小女孩時候，她穿絲絨連身裙、羊毛長統襪，打扮的像個洋娃娃一樣，站在梧桐樹葉漫天飛舞的租界街角。

馬車叮叮噹噹的過來了，她抓緊父親的手躍上馬車，父親的手柔軟溫暖，帶她去的總是安全又美妙的世界。

●

思憶回到更早的從前，她想起自己幼年時在上海虹口餘杭路的家。

紅木的家具環繞四壁排列，父母親在樓上的臥房擺著紅木雕花大床。廳裡放一架鋼琴，西式客廳外面還有一間中式暖廳，樓梯上下三個衛生間。最奇妙的是母親臥房裡那間，地上有一個青草色的浴盆嗎？記得母親坐在裡面的時候，浴盆周圍浮動著變魔術一樣綠盈盈的煙霧。她悄悄爬上樓梯，偷偷從門縫看幾眼，趕快跑開了。

可惜的是她回不去了，回不去八十年前，什麼都沒有裂隙的時日。他們家六個姐妹，三男三女。洋溢著琴聲歡笑聲的房子裡，她曾經多喜歡抱妹妹，美齡出生就胖胖圓圓的，抱不動兩個人都跌在床上，妹妹被逗樂了，不知道疼，一個勁地呵呵笑。

●

後來她又記起了路旁邊的河，河兩岸的油菜花，正黃一片。記得河水在窗戶底下淌淌的流，竹竿從窗格子裡伸了出來，竿子上是翻飛的布衣裳，才洗完的，前襟還答答啦啦滴著水呢！

當時是三一堂女塾的學生，她春假跟著同學到鄉間踏青。站在石橋的階梯上，她出神了半晌：腦袋裡浮現了一個令自己臉紅的念頭，就這樣找個俊生生看順眼的少年郎，死心塌地跟著，替人家洗一輩子衣裳，不好嗎？

她從來沒有那樣的機會！十五歲她就漂洋過海到美國，這一生，她的英文比中文寫的還要好些，他們宋家的女兒，即使有看順眼的男人，也沒有做尋常夫妻的命吧！

●

父親給過她一串項鍊。她不像她的姐姐妹妹，有機會珠光寶氣的。項鍊墜着K金的雞心，上面刻著些藤藤蔓蔓的花紋，就是她唯一的飾物了。

這麼多年後，她還常在靜夜裡把項鍊從梳妝櫃取出來。金雞心貼著面頰，想著父親厚厚的手掌拍拍她的臉，一抬手就把小女孩的她舉在頭頂上。

爲什麼項鍊的墜子是挺實在的雞心？不打個金十字架？有一次她倒若有所悟：就好像父親印聖經目的也在賺錢，錢又用來捐助革命，她想，父親關注的還是俗世的國家，還是他們六個生在上海的兒女。只怪父親太敏銳的直覺，處處爲兒女的前程與中國的前程結了些難解的環套。

金雞心靠在臉旁邊，就好像父親摩搓她的那隻大手，剛進門的時候還冰涼，轉瞬便帶著讓她貼心的暖意了。

其實，她一直都知道的，六個姐妹之中，父親最偏疼的還是自己。

●

有一段幼年時光特別模糊，她簡直分不清是記憶呢？還是作過的夢？

……她記得父親帶她出了租界，到城隍廟一帶看花燈吧，她穿棗紅色毛呢短大衣，大衣上好像別著朵發亮的胸針，還記得胸針是西洋玩意，稀罕的樣式。愈到豫園門口，人群愈擁擠，馬車過不去，他們只得下車走路。她緊緊牽住父親的手，一不小心，別針掉到地下，眼看著好多大脚就要踩過來，她趕緊伸手去撿，竟然鬆開了父親的手。再抬頭，挨挨蹭蹭都是陌生的臉。她的父親呢？已經被人群沖散了，她嚇得全身僵冷！

好像過了很久一陣，直到父親的大手又一把攫住她，她才哇哇地大聲哭出來。

後來與家裡鬧僵了，鬧到離家出走。

她辜負了父親，爲了孫文，背叛了父女間那種最親密的信任！

在她婚後，母親作的主吧！還是補送了她一套嫁妝，雙人床、五斗櫥、百子圖織錦被面、精工繡的嫁衣，該有的都一應俱全。事實上，這表現她母親通曉人情的一面，氣歸氣，禮數別缺，盡可能周到。

但她卻忘不了父親傷心欲絕的眼神——或者說，父親處事的變通全沒用處，她傷透了父親的心。

只是無意中鬆開手，再抬頭，眼前都是陌生的人臉。她的父親呢？她沒有緊緊牽住父親的手！那樣一鬆開手，她扭曲著褶皺的臉皮在想，就是一生滄桑的起點嗎？

29

廿六日下午三點，擔架抬到了協和醫院。

根據第二天北方報紙的消息：「孫君一入醫院，體溫脈搏更高，各醫斷定病症已至緊急時期，非立即施行手術不可。」

國民黨檔案中，先生動手術的時間是當天下午六點。關於手術的過程，〈國父年譜〉寫著：「檢查全肝，肉眼亦可見全肝已堅硬如木，病症完全是肝癌不治之症，無從割除。當晚由德、美、俄三國醫生取肝上之極微三部分，以作試驗品，一面洗淨肝臟，縫以綁帶。據用顯微鏡詳細察驗之結果，先生之病確為肝癌，且已至末期，其病遠因在十年以上，近因亦在兩三年以之，實無藥可醫。當時醫學界甫有用鐳錠放射法，以圖停止癌之發展，然已無及，至是西醫為之束手」。

二月五日〈申報〉載了一篇〈孫中山入醫院割治後之病狀〉，對於手術室裡的狀況記敍甚詳：「割治之處，在體之左側，切開約五英寸許。因局部曾用麻醉藥，並以析法禁住血管流血，故施術時本人不覺痛楚，出血亦甚少。切開後，當用如即笛之具，將肝部之膿吸出，盛以盤。盤中置脫脂棉，每吸取膿一部分，即置於棉中，命人送出室外，交專門家化驗。及膿吸盡，乃施洗滌之術，並見肝部果生有惡瘤，即癌是也。……其吸出之膿，經分析化驗之結果，斷其病已起在十年以前。憶民國五年前，中山先生即患胃病，蓋即此肝部之癌作祟也。施治後，二十六日之夜，經過殊未見佳」。

30

●

她已經肥胖的不能動了，一點也彎不下身子。王府厚重的牆壁間，她坐在床沿，卻還是盡可能把頭垂低去嗅那些香水瓶底，總能夠聞到讓她沈湎的氣味，若有若無地飄動著。她知道，陳香不是來自玻璃瓶底乾涸的痕跡，那是星星點點有關她舊日生活的回憶。

●

有時候，她想起了枕巾上丈夫頭油的味道，婚後，洗的多乾淨都沒有用，那是某種迴繞不去的氣息。

●

跟著那熟悉的氣味，她的心飄向少女時代，一九一三年，第一次在東京街頭偶然遇見孫文。站在姐姐靄齡身邊，她望著比自己大了將近三十歲的男人，多年來，她聽到過許多有關他的事蹟，目前在日本流亡的處境依然危險。男人衣領上落了根頭髮，油漬漬的，她本能地想要越過姐姐伸手替他揩去！

孫文是父親的摯友、姐姐正做孫文的祕書。站在麴町八丁目秋山定輔的住家附近，她斜側身子，讓路給一輛從巷口竄出來的人力車。她才從新大陸回來，東京的巷弄總讓她覺得窄隘。男人脫下帽子，那一瞬間，她嗅到髮油的味道，一種油膩又奇特的清新，她心裡突然有古怪的想法：自己要爲這男人打理衣襟，唯一的方法是將他據爲己有。

●

過幾天，記得跟著姐姐到赤坂區孫文的住處。寓所門口，掛著塊牌子，用日文寫了「中山」兩個字。

進門就是木梯子，孫文租的屋子在樓上。推開房門主人不在。屋裡只有一張短榻、一張木板桌、三把舊椅子。孫文匆匆離去前在吃午飯吧，桌上兩盤壽司，旁邊攤開看了一半的書。她打量眼前這間屋，典型單身漢的房間。

日後回憶起來，還記得午後說下就下的那陣雨。看出去，外面晾衣繩掛著一件灰蒼的棉衣和服，全淋透了。屋內床頭上擺著一把油紙傘。她看著那把傘抿嘴一笑，有點發愁，心裡還是泛著一陣淒楚的情緒：她想，孫文因爲討袁才過這種落魄的日子，前一年人家可是大總統呢！現在誰照顧他？瞇著眼睛，雨天潮潮的霉濕氣裡，她彷彿又聞到那股揮之不去的髮油味道。

●

她不像姐姐，姐姐有個冷靜的腦袋，姐姐隨時都在盤算得失。在她看來，姐姐是盡職的祕書，但姐姐從來沒眞正相信過孫文。

她自己卻眞心喜歡聽孫文講話，誠懇而亢奮的嗓音，似乎努力往喉嚨裡嚥著壓抑不住的急切——急切地相信世界還可以改變。

坐在孫文對面，她看到的是男人兩鬢油亮亮的頭髮，有一點卷曲呢！她想像自己勇敢地伸過手去，這樣經過滄桑的男人，就要五十歲了，作過大總統，她想像自己像撫弄貓的耳朵背後一樣撫弄那塊地方。

●

她最喜歡的還是坐在台下聽演講，孫文是一個具有群衆魅力的人。那時候，她感覺自己胸口裡激盪著柔情，春水一樣的四處亂竄。她甚至驕傲起來，她是這個男人的，唔，朋友，唔，女性朋友，唔，怎麼說呢？至少也是最好朋友的女兒。只要上了講台，孫文每一個手勢就顯出了力量。「人民的福祉」、「中國的安危存亡」，她喜歡那些鏗鏘有聲的字句，她會產生某種奇怪的幻覺：坐在木凳上，好像在衛斯理校園裡聽到了大禮拜堂莊嚴肅穆的鐘聲。

先生的結語是：「大家都立志來救中國，那麼中國很快可以變成一個富強的國家，與列強並駕齊驅。」坐在那裡聽，她便也看見了那樣的遠景，而且很快就會實現。她從座位上站起來，用力地拍手。

她那時候多麼年輕！

●

當年她習慣帶頂小圓帽，穿蕾絲花邊的衣服。在日本，梅屋庄吉家裡，急就章的婚禮上她也戴著帽子。

事實上，帽子一向給她新娘的聯想。在美國讀書，同學垂在寬邊帽子後面的兩條絲帶，總讓她聯想到拖在白禮服後面的婚紗。

回憶起來，她的婚禮嫌倉促了。老到動彈不得的時候，她仍然悄悄遺憾著一生最隆重的儀式不僅沒有父母的祝福，也沒什麼其他人的祝福。前一天晚上，梅屋庄吉的夫人島姑還不死心地勸告即將成爲她丈夫的孫文：「與年齡相差像父女一樣的宋小姐結婚，是要折壽的啊！」

就在那天夜裡，她伏在桌上寫信給在美國讀書的妹妹美齡與弟弟子文，她解釋自己的私奔：「我情願爲孫文做一切需要我去做的事情，付出一切代價和犧牲！」

那時候，是少女的熱情讓她這樣寫？還是一種與愛國心、以及崇高目標攪和在一起的傻氣？中間隔了太多年，她歎一口氣，可憐她連想也想不清楚了。

31

等在手術室門外的人士都爲那最壞的消息驚詫不已。手術當晚，汪精衛已經向各地發出「敬請同志速來」的電報，對將在日後政治舞台上扮演角色的國民黨核心份子，眼前最重要的還不是怎麼樣重新界定自己，而是怎麼應付立即的種種難關。

當天午夜，國民黨中央政治委員會在鐵獅子胡同的臨時辦公處召開緊急會議。政委會本來是先生在廣州時組成，主席自然是先生，現在因爲胡漢民與廖仲愷還在廣州，邵元沖去了上海，又補上了在京的同志于右任、吳敬恒、李大釗、陳友仁與李煜瀛。

大家都心情惡劣，討論了幾個鐘頭，對於該不該把手術情況告訴先生、該不該向外發佈絕症的診斷，以及該不該請示先生預立遺囑預立繼承人等等，沒有辦法作出任何決議。也因爲主持會議的汪精衛始終神思恍惚，似乎處於一種等待奇蹟的虔誠情緒中，他說了幾句話，就不停地擦拭眼淚。

後來天快亮了，一屋子煙霧瀰漫，大家都乏了。主席汪精衛站在台上，自言自語地算是作了結論：同志們，先生精神強固，抵抗力優於常人，即使不能夠痊癒，也可以延長一兩年生命，不要告訴先生，不要讓先生聽了氣餒，等到眞不行時候再說！他答應同志會後與先生的主治醫師約好，眞是危險了，立即據實相告，再請先生立下遺囑。

● 32

其實她一直記得的，婚禮那晚，換上和式睡衣的孫文頓時比白天矮了半截，突然顯老的多。領口的肌膚鬆垮垮的。臉面上，黑疣與肝斑都更清楚了。

當時她微微的吃驚，夾著不知道自己是否做錯了事的張皇：孫文眞成了她的丈夫，她從上海一路投奔過來，剛才立下婚姻的契約，除了父母還反對，算是一切都遂她的意，她應該心滿意足了。但她記得當時一陣心慌，就這樣嫁了？……鏡子前換上睡衣，自己看自己，都覺得像朶就要綻放的花，飽滿的紅唇彷彿可以掐出水來。她有點猶豫呢，喬治亞州的同學們大概還在舞會裡等著男孩子獻殷勤，她已經作了五十歲男人的妻子？

又過了多少年，她才總算明白過來，是後來碰到S之後才明白的？——原來，因爲孫文英雄的形象，才加重了天平另一邊的砝碼！否則，兩個年齡相差那麼多的人，她大可以嫌他的。

●

她記得，比起自己家的人，丈夫那邊的都顯老。

就連丈夫的孩子都老。她第一次在上海環龍路的房子裡看到丈夫唯一的兒子，只大她一歲多，臉上的表情就很老成。她簡直要臉紅啦，怎麼稱呼呢?該叫自己一聲媽?阿姨?Auntie?

還好都沒有叫，這個前房生的兒子就囁囁嚅嚅走了。後來想起，她又覺得要偷笑，自己才二十三，怎麼樣也跑不出來一個老成的兒子?

●

這麼多年後，她還在夢中看見孫文特別薄的兩片嘴唇不停地上下擦撞，彷彿有某種催眠的力量，凡是丈夫說的，在她最容易受到啓迪的年代，不管說什麼她都認眞地相信。

她自己的嘴唇豐潤而飽滿，甚至有點嫌厚。她自己知道，她是重情感的人。

也是婚後才知道的，丈夫是很好的老師沒錯:但除了作革命導師的熱忱，丈夫卻有點粗疏、有點急躁、有點心不在焉。

大的方向上，丈夫甚至有點舉棋不定。

●

住上海的那些年，許多日子丈夫都在客廳裡開講，跟同志講、跟記者講、跟遠地來的客人講。有時候，她很想拉張凳子，坐到丈夫身邊去。倚著門邊聽聽，卻是同樣的那些問題，北方軍閥、西南軍閥、蠻橫的軍閥，你要了我他騙了你，你佔了我的他佔了你的地盤，你不遵守協定他不遵守協定，……她站在暗影裡，看著丈夫找不出對策的面容，嘴唇快速翻動著，速度快到了……似乎已經失去了抑揚頓挫，她突然又有幾分悵然。她的情感全繫在這裡，作爲政治人物，丈夫的精神卻貫注在迂迴不前的革命上，而她那顆敏感的心啊，滿脹著初次獻身的柔情，水草一樣地希望牽絆住什麼，卻時時感覺到些微的空虛呢！

●

做了孫文的妻子，她才開始清楚丈夫對於女人的概念。

一批華僑老革命在客廳聊起過去的女人，口氣純然是革命之餘的餘興活動。沒有人提到感情，感情顯然不是男人世界的主要成分；至於那些邂逅過的女人後來哪裡去了？女人心裡在想些什麼？從來不屬於他們關心的範圍。

遇到她從屋裡出來，他們謹慎地住了嘴。這批人望她的眼神，好像望著一個上過洋學堂的女學生，眼光中有不知道該怎麼反應的敵意。

●

其實她多少聽過的，伴隨丈夫的那些戀史。對她而言，其實不應該叫作戀史，只該叫作一頁頁風流史。聽到了，她也刻意裝出毫不介意的樣子。

倒不是因爲她大方，她安慰地告訴自己：革命途中爲了方便的一宿之歡，必定倉促、粗糙，只顯示男人到處可以留情的輕率。

她要的不是那種樣子的感情，始終不是！

●在回憶中，她還是寧願相信自己跟丈夫的感情十分特殊，不同於丈夫有過的其他女人。

卻有一回，其實那時候才新婚不久，她在書桌上看到丈夫給恩師康德黎的一封信，上面寫著：

「我的妻子是在美國大學受過教育的女性。她不僅是我最得力的助手，也是我的朋友。」

應該高興的，她的心裡，竟然又說不明白地盪漾著一層失望：因為她的教育背景才把她看的不一樣？事實上，丈夫眼中，她只是另一個女人而已！

當時聽見她說要私奔的計畫，孫文一下子也是怔住了。很顯然地，這是個讓男人完全出其不意的提議。

哎，她想，自己心裡那神祕、奔放而浪漫的世界，丈夫倒還是沒跨進來！

33

彷彿作了一場很長的夢，先生撐開無比沈重的眼瞼，他看到掩映的樹影，還有錯落的綠琉璃瓦。先生想起了這是醫院，自己已經住進醫院裡。

麻醉劑使他知覺遲鈍，傷口只是隱隱作痛，先生還在手術後虛浮的狀態中。先生努力去聽，劈啪一聲，好像是冰柱斷裂在窗櫺上的聲音，也可能是暖氣管裡爆裂的水蒸汽，跟著還冒出一蓬蓬白煙。

悉悉索索地，裡面那間倒微微地有些動靜，大概是侍衛在換班。先生沒有說話的力量，遠處的風呼嘯起來，先生又迷迷糊糊睡了。

34

●

她繼續坐在那裡，點起一隻香菸，她不小心把眼光移往牆上重新裝框的照片，她覺得恍如隔世。當年她愛這個人嗎？那是多麼久以前的事了。但不管怎麼說，她必須承認，她再不可能碰到一個人像孫文，有這麼多改變世界的夢想！

●

不只畫出水道、點出險灘，希望十年內修築廿萬哩鐵路；製鹽的方法、開煤礦的方法，丈夫連作罐頭的方法都想研究的清清楚楚。

「願吾人之理想，將欲於有限時期發達此港，使與紐約等大」，她坐在床上，記起了她解放初期特意去過一次，實業計畫裡第一計畫的北方大港秦皇島！

當時，直隸灣強勁的冷風颳著，眼前一幅荒寒的景象，港在哪邊？她苦笑了，感覺樸拙的字體在身邊冥紙一樣地翻飛！

她知道那是不可能實現的計畫，她從來就明白丈夫有太多不切實際的空想。但她能夠瞭解，丈夫眞是全心全意巴望中國強大起來：「由是言之，其供給分配區域，當較紐約爲大，窮其究竟，必成將來歐亞路線之確實終點，而兩大陸於以連成一氣。」當年，她坐在桌子前，筆錄員似的寫下丈夫口述的計畫大綱。

●

手指夾著一根「貓熊牌」，像暗夜裡的星光，她又斷斷續續記起來，那一程一程的艱難歲月。當年，一九一八年初春的廣州陰濕欲雨，她的皮膚病犯了。從她窗口望出去，珠江上方時而浮著一層白茫茫的瘴氣，她閉起眼睛，恍惚聞到水面上動物腐爛的味道。

誰能夠想到幾天之中，就窘迫到連大元帥府的日常用項都開不出去。一早一晚，她看著丈夫凝重的面色，便知道前一陣蘇俄十月革命帶來的憧憬已經成爲過去：當革命成功的消息傳進廣州，丈夫與人家的領袖列寧比較比較：一點也不輸啊！事實上，列寧也是從外國回來趕上武裝起義，丈夫甚至時機上早了六年，看來，不只六年的時間全白費了，他們正一無進展地困在廣州。這一次，丈夫「進可以攻退可以守」的算盤又打錯了，名義是軍政府的大元帥，靠著軍閥的施捨過日子，實際上已經陷入進退維谷的絕境之中。

她還模糊地記得，在一九二一年，丈夫決定由廣西集師打湖南。那算國民黨第一次北伐嗎？她不是那麼確定。

同年十二月，她跟到了丈夫在桂林的大本營本部。她從來沒有看過那麼混亂的省會：街上掛著「談話處」的布帘子，裡面是公然吸鴉片的毒窟。軍人公開經營賭場。桂林當時有贛軍、滇軍、黔軍、粵軍各種雜牌隊伍，隨時看他們走進妓院打架鬧事。每天早晨，城脚下都會發現士兵的棄屍。

當年她簡直驚呆了，她原來就知道丈夫是做夢的人，到前線她才知道，爲了縹緲的夢想，一次次地，丈夫需要什麼樣的毅力，必須忍受的是些什麼狗屎！

●

偶爾在更恐怖的夢魘中，她記起當年怎樣從粵秀樓逃走！千鈞一髮之際，她頭戴著姚副官長的草帽，身披丈夫的雨衣。前方府內的士兵正往外衝，又一隊是由大門繼續進來搶掠的亂兵。她的視線模糊了，臉上都是豆大的汗珠，敵人的子彈正向粵秀樓連著總統府的棧橋掃射。

「打死孫文！打死孫文！」她聽到叛軍瘋狂地叫陣，她一面在心裡罵陳炯明做得太絕，一面慶幸丈夫已經先一步脫身。

走過棧橋，又是一陣炮火。她再也走不動了，任憑衛兵一人抓住一邊肩膀扶著前進。突然她看到一幅奇異的景象，兩個人在巷子裡面對面蹲著，眼睛不動，她心裡一懍，驚覺到他們已經死了，大概是流彈所射殺的——她嘶喊出來，小腹一陣疼痛。日後在夢裡，她反覆地看見自己下體滲出了殷紅的血水。

●

許多年後的陰雨天，想著她在陳炯明兵變中失去的胎兒，她會自覺體內很特殊的某種反應。

她不小心看過書本彩頁裡的胚胎雛型，過大的頭以及像瘦細尾巴一般不相稱的身體。胚胎在子宮中著床，然後一天天逐漸成形。

似乎還可以感知體內有一團模糊的生命。然後，嘴裡迴盪著血腥的味道，從咽喉衝上來的，她覺得一陣陣酸軟由小腹向上繼續翻湧。

35

先生病入膏肓的消息對某些人不啻一則喜訊。事實上，張作霖就公然宣稱：掃除了孫君從中作梗，統一的路途反而好走！先生倒不是第一次被視爲統一的絆腳石，徐世昌在一九二二年辭去北洋大總統，人們便逼迫先生在南方放棄總統的名銜——讓給黎元洪嗎？先生不肯！人們怪他破壞法統，連蔡元培也這樣說。美國當時的駐華公使更公開形容他爲「統一的明顯障礙」。

手術後第三天，先生體溫如常、脈樞和緩，傷口沒有發炎的跡象。事實上，先生在晨光中醒來的第一個感覺是割治經過良好，自己正漸漸復元。隔著窗玻璃，先生睜開眼就看到對面的另一棟樓，離地有不矮的一段距離，憑著對地形的判斷力，先生估計自己住在三樓上。窗口一棵槐樹、四棵柏樹，附近的樹木不少，先生猜測這間醫院有很好的中庭花園，哪裡還蓋了一間暖房？先生看見病房的角落擱著扶桑，大朵地掛著粉紅色的花。簡直像在西洋，室內似乎也是歐洲味道的裝飾，壁燈燈罩上都鑲著繁複的金邊，讓先生聯想到自己香山的居所，整修時他親手畫設計圖，陽台上半圓形的拱門，兩個樓層完全對稱，他採取的也是中西合璧的建築形式，先生這一刻閉著眼睛，記起他自己寫的楹聯：「一椽得所」、「五桂安居」，當年先生覺得頗爲滿意，至少，情境很貼切。再次睜開眼睛的時候，醫院上空正好有飛機經過，先生聽見嗡嗡的引擎聲,自己主持過一次飛機的命名儀式,想著酒瓶撞到螺旋槳軸頭的一瞬,先生想要掙扎坐起來。「羅莎蒙黛」,先生用夫人的名字稱呼第一架中國製造的飛機。

青天白日漆在四個機翼上,輪子塗的寶藍色,最令人振奮的是試飛成功,居然愈飛愈高!那是在廣州機場,病榻上的先生可沒忘記香檳灑在飛機翅膀的歡欣情緒:代表一飛沖天,從此脫出貧窮與戰亂,同時也代表迎向外面的世界。外面的世界到底怎麼樣了?——若是手術順利,自己不久就可以出院嗎?——先生自知在任何時刻,因爲革命家的本質,他不容易被擊倒,最頓挫的環境下,他寧可樂觀地想像未來,而他對外界事物一向比對眼前難題的興趣來得更高。想起來,那批外國人也是基於同樣的原因吧!動盪不安的年代裡,鋌而走險的國際冒險家紛紛到了他的廣州根據地,對國際冒險家來說,廣州是個依然具有革命可能的地方。止痛劑消褪前的祥和光景中,先生想著自己一心一意建立的空軍,還有一位來自舊金山的美國人艾伯特,在軍政府當航空教官。先生不只讓艾伯特訓練學員,已經正式進入空軍的編制。廿幾歲的毛頭小伙子,先生就倚重他,給他中校的官階。

手術的狀況究竟如何?先生又有些直覺的不安。他試著翻轉頸子,卻記起了那一回命名典禮,艾伯特坐在駕駛座上,夫人在雙人座的左側試飛飛機。飛上天的時刻先生按住頭頂的禮帽,他有一瞬間的走神:如果摔下來呢?夫人剛剛三十歲。事實上,自從罔顧所有人的反對而結合,夫妻倆曾經一再臆想過各種形式的訣別場面:驚魂的刹那包括月台上的刺客,像三年前被狙擊的粵軍參謀長鄧鏗，一顆子彈貫穿了胃部，同時粉碎掉先生與陳炯明達成妥協的可能性。要不就像十三年前的血案，也在車站的剪票口，兇手殺了當時代理國民黨理事長的宋教仁，子彈靠近心臟，先生雖然沒有站在那裡，但旁人的描述中，說著陳其美愈哭愈大聲，一路喊：「這事眞不甘心！」先生已經慟的彷彿身歷其境。也因爲那樁血債，討袁成爲無可避免的下一步！等到一九一六年陳其美在上海遇刺，又是射進頭部的一顆子彈……先生躺在床上，想著這回自己的手術若不成功？腦袋裡嗡的一聲，那些死難的同志已經來到眼前，一個一個，從民國未成立就前仆後繼倒下去，他同鄉友伴陸皓東開始，史堅如、楊衢雲……，這時刻，先生腦海裡旋轉著一張張就義前的面容，比起那些人，他自己少有涉險的機會：近幾年間，爲了安全起見，身邊還跟著一兩位精通拳腳功夫的副官。但他想像的卻總是自己最後的時刻渾身沾血躺在女人的臂彎裡，畢竟太浪漫了。當時，飛機離地的分秒先生有一霎時的驚疑：他從來沒有想過的，如果是她先走呢？

其實，一九二二年在永豐艦上，炮聲隆隆的間隙，先生眞以爲大限到了，自己即將握著年輕妻子的手一同死去。躲避炮火的黑暗裡，巉岩頂上一點游動的燈光，讓先生念著已經回不去的粵秀樓。他們却只能夠漂流在海上，像一雙息隱江湖的情人，問題是他壯志未酬，一敗塗地的陰影底下，再纏綿的愛情也注定了於事無補。他的軍隊只剩下幾艘不能夠靠岸的艦艇，陸地上盡是反叛他的陰謀。兩個月的時間，讀地圖、躲避水雷、向岸邊發射幾枚炮彈，幾乎是他在艦上所有的活動。偶爾一位英文報的記者上來座艦，先生要多麼努力才抑制住深藏的創痛，三十年慘澹經營，就這樣毀於一旦！先生悲憤地望著一路涉險而來的夫人，在逃難中又失去了她的胎兒，當時他來不及多想，夫人也懂事的不願再提起——

麻醉劑的藥效逐漸消褪，先生重新感覺到尖銳的那種疼痛，仍然在老位置上，胃的下方，似乎又不是。他知道，有可能騙不過自己，手術成功的機會其實極小，往後甚至沒有餘力再向妻子說聲抱歉，他爲自己常年來不應該的遲鈍落下淚來。多少時日，尤其在失望灰心的歲月裡，先生明知道唯一能夠拯救自己的只有愛情，然而辛酸的是，他卻不曾愛上任何女人！在這分秒間，他從手術中清醒的一瞬，摸著毛毯上的餘溫，妻子必定整夜趴在床邊，他記起她最愛吃長滿綠點的乳酪，他也記得她身上時好時壞的遺傳性濕疹，……先生覺悟到夫妻間的恩義還是牽扯他的力量，想著年輕的妻子他破天荒感到了不忍以及不捨，他怎麼能夠拋下她？疼痛又開始劇烈起來，他渾身都是冷汗，在永訣的預感中，他甚至夢境一樣瞧見了莫斯科，多數史達林式的宏偉建築尙未竣工，他的遺孀在那充滿帝國榮光的城市如同鑽進了迷宮，一家中庭有柱噴泉的酒館裡，她百無聊賴的醉倒了。「孫夫人，」是誰搖晃她的臂膀？那樣的稱呼恍如隔世。這一刻，先生更遺憾著沒有替他的未亡人留下什麼，連一個小生命都沒有。逃難中，她失去了此生唯一的妊娠，作爲一個六十歲的男人，先生怎麼不知道呢？悲傷將在妻子往後的日子裡延長不已，每當春雨綿綿密密的落下，母性的情懷將在她身體裡持續召喚，陣陣的酸楚，就好像是隱隱作祟的空虛之感。但是，從永豐艦的時日起，先生也比什麼都清楚，這種空虛是她獨有的，不只因爲死亡將使他們分開，也因爲作爲革命家的妻子，夫人總是十分克制，很快地絕口不提這一次妊娠。此時此刻，先生禁不住忍著痛安慰自己：往後若是回憶起來，妻子會不會自己懷疑，那一回，究竟是眞正有了身孕？還是在槍林彈雨中關於流血的幻覺？

36

她站在協和醫院的走廊上，怎樣也無法相信：這麼快，居然就都要結束了！

之前，她沒想到一個男人可以主宰她的生命，以爲自己充滿活潑的自由意志，即使婚姻，也純粹是她自主的選擇；直至丈夫垂危的時刻，她才瞭解到不同年齡不同人生閱歷的兩個人是怎麼樣存在某種主從的關係。包括丈夫的死亡，都是讓這主從關係繼續下去的方式！

當年，她恨透了那些無濟於事的儀式：紙紮的花圈、沒有眼淚的哭聲、一條條漫天飛舞的輓聯、以及她耳邊千篇一律要家屬節哀順變的老套，她也本能地嫌惡散發著腐朽與不祥感覺的麻布。私心裡，她多想照小時候的習慣，朝這種排場先悄悄吐幾口唾沫。

社稷壇大殿正中，人們行三鞠躬禮，司儀宏亮的聲音唸祭文。棺中裝著她的丈夫嗎？她明明知道，裝著的只是福馬林裡泡成灰白的一具軀殼。她一點也不想站在那裡，距離冰冰涼的靈柩那麼近！

特大號的靈柩讓她聯想到陪葬的主意，她突然有點害怕。先生的老同志在她前面列成好幾排，他們曾經阻撓過這件婚事，甚至去曲解先生的早逝，以為多少與她有關。葬禮上看起來，仍是一些不懷好意的眼光。

靈堂森冷的空氣中，她想到回去上海，總可以回自己的家！但她又比誰都清楚，政治家庭出來的子女是沒有家的。何況最疼自己的父親也死了，父親生前覺得被人聯手瞞騙，臨終都不曾忘記女兒帶給他的打擊。母親是識大體的名門閨秀，維護的總是宋家與她倪家的基業。至於她精明幹練的姐姐靄齡，她直覺地會在將來成為自己的敵人！

37

他們什麼都不讓先生知道，包括協和醫院向外宣佈的檢查結果。汪精衛每日報告一次，多是一些揀選過的捷報；至於國際新聞，由陳友仁綜理後向先生報告。每次十分鐘，逾時就退下。

今天先生體溫稍稍降低些，清晨居然熟睡了片刻。睜開眼時看見自己的兒子垂手站在床邊，孫科才回去廣州料理公事，又被同志急電召回北京。

「你來了？」先生有氣無力地招呼一聲。

先生搭下眼皮，一時不知道說些什麼，科兒的模樣那麼酷似他母親，愈長大愈像，尤其這時候皺著眉頭，先生不由得想到髮妻慍怒的一張臉。科兒顯然遺傳了盧氏欠缺變通的脾氣，身邊人簇擁著，在廣州挑出太子派與元老派的政爭，還公然反對先生親俄，先生想著心裡有氣。其實，他也真沒什麼要跟兒子說的，「切勿空過光陰」，那是先生最常在信上叮囑兒子的話，要不，就勸兒子看正經書，年輕人偏偏喜歡讀閒書，那類與處世無關的文學作品，什麼莎士比亞，先生真不明白有何用處。信裡道貌岸然慣了，除了對兒子成器的期望，先生真不知道要怎麼開口說話。

轉過頭去，先生想到了長得像自己的大女兒，比起來，偏疼的一直是金鍰。金鍰十八歲那年患了腎病，在澳門，病了就沒見著面，死去十多年了，現在先生也只剩下模模糊糊的傷痛。先生的革命生涯充滿波折，兒女對他，不曾留下深刻的印象。南京就任臨時大總統的短短兩個月，帶著三個兒女在紫金山打過一次獵，回憶起來，算是享受天倫之樂的時光。第二年，金鍰的死訊傳來，先生當時固然情傷，但是那份傷懷不曾淹沒他。無論如何，先生隨時準備向前看。這些年來，其實，先生也很少記起髮妻，自從那年要她自動簽字離婚，自己的元配已經褪入歷史，成爲翻過去的一頁。此刻，科兒站在床前，心神耗弱的緣故吧，先生卻不住地想著盧氏身上黑紗的衣褲，順德縣的特產，愈洗愈舊，穿起來也愈發涼快。盧氏就是太節省了，或許因爲自己早年經常音訊杳然，她省吃儉用，帶著三個小孩。後來明明並不缺家用，寒磣成了習慣，仍然爲些芝麻小事囉囉嗦嗦，連傭人從市場找回來的零錢也要計較不休。但她畢竟沒有做錯什麼，沒有對不住丈夫，是自己執意要另娶新人。先生閉著眼，想起自己非離婚不可的決絕場面。

　此刻先生對著兒子生出歉疚的感覺，也因爲眼前穿過來穿過去的，已經是另一批以家屬身份進出的姻親。中央銀行行長宋子文日前接北京急電，便把業務交給兩位副手，匆匆趕到姐夫的床前。而這個時刻，更關鍵的人物是連襟孔祥熙，接客送客，儼然成了先生家屬的全權代表。清醒的光景，先生瞇著眼看著這位連襟，面團團的，一副富家翁的殷實氣派，長得可一點談不上英俊——先生想到他就是宋靄齡選擇的佳婿，油然地又興起了較量的意思。當年先生還沒有見過妹妹慶齡，靄齡那時是自己的私人祕書，在兩人獨處的情境下，先生數度有浪漫的念頭，卻始終不敢掉以輕心。他好像棋逢對手，隱隱然的興奮中，又摻著某種老手的直覺，即使瞄到了獵物，在扣扳機時會停頓下來——靄齡太精明，遺傳到父親的幹練，卻未必有宋查理寬宏的那番理想。尤其在遇到慶齡之後，先生由衷慶幸著與靄齡日日相處的人不必是自己。當然，先生此刻苦澀地想著，他還是輸了一著，靄齡可能也正慶幸著與自己在一起的人不必是她，至少，人算不如天算，她不用即早作寡婦。

「看看我的妻房吧！」先生腦袋裡亂糟糟的，卻想起二十年前，在唐人街遇見擺攤子算命的老頭，他曾經隨口問道。記得當時老頭要去他的生辰，掐著手指就說：「丙寅，己亥，辛卯，庚寅，這副八字木氣太旺，丙火溫辛，但衆木成林，辛金柔弱，制木而傷身。」先生不言語，倒是記住了那一串有關五行生剋的成語。老頭瞅了他一眼，接著又說些古里古怪的話，什麼「財旺身弱，妻房結黨，若不色重招殃，終於失地喪師也。」現在回想，似乎有幾分道理，他確實有一夥在政經舞台上躍躍欲試的姻親。當時，他可是疲憊的革命家，正從一個唐人街走到另個城市的唐人街，過往的行人擦肩而過，他惶惶地站在街頭，雖然記住了幾句話，聽完了只能夠一笑置之，怎麼會相信老頭的信口雌黃？何況，唐人街周邊的小旅館裡，洪門兄弟的好意不容推辭，由這女人身邊到那女人身邊，兄弟把女人當作崇敬大哥的禮物一樣地獻上，第二天一早起來，又是僕僕風塵的路途。別說丟在家鄉的髮妻不再縈懷，他甚至分不清昨夜女人的面貌，他所能夠記住的最多是一些依稀的溫存。那時候，顛沛動盪的日子裡，先生曾是對女性有無盡胃口的人。在先生心裡，這本是男性旺盛精力的表徵，多麼令人振奮的精力！還有在南洋，芭蕉葉搧起了一陣陣薰風，熱空氣中，發出動物一般的喘息，先生想著，不禁神馳了。後世看來，倒可惜這類先生自己不以爲忤的生動事跡未見於史冊，在國民黨的正史裡，連先生參加洪門、受祕密會黨的幫助都儘量少談，只是板起面孔說他們「於共和原理，民權主義，皆概乎未有所聞。故於共和革命，關係實淺，似宜另編祕密會黨史」，民國史更不可能甘冒不韙，爲先生放浪不羈的生活作出記載。即使一名小說作者，在描述先生眞實面目的此刻，都不斷要與心中另一重莊嚴的聲音對抗。那是先生冥誕時響徧台灣中小學各個操場的「國父紀念歌」：啊，我們國父，首創革命，革命血如花！

那天傍晚，先生服用安眠藥後再次睡下。孫科在隔室寫下致廣州大本營的電文：「今日抵京，見先生，精神佳，眼色清，面紅，黃氣除，食量進步，體力益增，今晨溫度三十七，呼吸二十四，脈搏一百，爲入院以來未有之佳象。」

38

在她此刻浮光掠影的記憶裡，她的姐妹，在二〇年代，已經是上海上流社會最引人矚目的女性：妹妹美齡梳著流行的長長的劉海，戴花枝式的耳環，一身斑彩的美麗衣裳。她的姐姐孔夫人靄齡，市井上傳說，亮閃閃的鈕扣全部都是鑽石做的。

至於居孀的她，梳著平直往後的髮髻，總穿素色或碎花的連身旗袍。

她記得，外國來的記者寫到初見面的印象：「孫夫人是自聖女貞德以來每一個國家所產生的近乎聖女的人物。」

彷彿是她們姐妹三人之間的宿命：每一回，她最晦氣的時刻，她的姐姐妹妹就恰恰如日中天。

一九二七年，她的那條政治路線全面潰敗，武漢政府草草收場，她不得已從武漢重回上海。就在上海，妹妹美齡正與她的政敵興高采烈地談戀愛。

她心裡，可從來沒怪過妹妹，妹妹只是嬌生慣養，一向聽大姐靄齡的話。從小，她記得美齡常常撒賴地嚷著：「大姐，你決定好了嘛，不必問我。」

●

她是仔細收存東西的人，經過這麼多年，她還存著當時一位美國朋友的一篇報導。拿到眼前，戴上老花眼鏡，她就可以歷歷如繪地重溫那時候普洛美葬禮的情形：

「蘇俄外交部借給孫夫人的轎車就跟在人群後面，至少車裡還是溫暖一點；我一直試著勸她回到車上，但她就是不肯。她用走的繞過了整個城市；她美麗的臉垂視著交叉在胸前的雙手。她那時剛從病中痊癒不過幾天，臉色慘白。雖說那天的霧是那麼重重地籠罩著一切，我卻發現到孫夫人如今是最孤寂的流亡者，她跟在她最敬愛朋友的靈柩後面，顫抖地穿過了早來的黑夜。」

她帶的衣服不夠，旅費也不夠，雪上加霜的是好朋友普洛美死了。普洛美是美國的雜誌女主編，陪著她從上海祕密搭船到海參崴，再坐火車抵達莫斯科。普洛美在中國染上致命的腦炎，到莫斯科不久就發病去世。

之前，她正處於最尷尬的情境中。她很難再留在上海，由於妹妹跟蔣介石戀愛的消息，各種有關她也與右派政府達成妥協了的謠傳不斷。她被逼得只能夠出亡海外！

●

莫斯科滿地都是堅冰。她在報上讀到妹妹那一場轟動整個上海市的婚禮。

她的家人、她家的朋友親戚、她從小見慣的教友與牧師全參加了盛況空前的婚禮。到這年頭，她想，她眞的是孑然一身了，全家人都站到她的對立面去。報上寫著，婚禮禮堂正中央是孫中山的相片，新人向總理遺照鞠躬，相框上交叉著兩方紅藍白三色的國民黨旗。

●

後來幾年，在歐洲各地的美術館裡，她一再看到油畫上的芭蕾女伶。奇怪的是，她望見的不只她們輕盈的紗裙與曼妙的舞姿，還有疲倦的身體、傷痛的腳踝、脆弱的腰肢，隱隱迴盪的大提琴樂曲中，她還看到了在地板上游移的死亡陰影。

白紗裙的身影轉成了閃著亮光的圈圈，那是莫斯科劇院裡的芭蕾女伶。柴可夫斯基陰柔的舞曲演奏起來，那時候，她覺得命運也像亮光一樣撲朔不定。就在這幾乎沒有人認得她是誰的流亡歲月中，暫時忘掉了所有的困厄，紅絲絨的座位上，她與鄧演達肩並肩靠的很近。

看完芭蕾，他們照例到大都會旅館喝一杯酒。經過一場布爾希維克革命，列寧做過總部的豪華旅館裡依然衣香鬢影，座上還是有不少裹著毛皮披肩的貴婦人。相較之下，她的那件黑旗袍樸素地像個鄉下姑娘。

舞池中，人們跟著小提琴曲翩翩起舞。她緊緊靠住鄧演達寬闊的肩膀，想著這個男人像是浪漫的極致：浪漫的氣質也表現在鄧的政治主張上，鄧一度作黃埔軍校教育長，又作農民部部長；這一陣卻離開了原先的左派路線，醉心於「第三條道路」。說穿了就是兩邊不討好，永遠不跟當派者站在一邊的路線。

回憶起來，那段莫斯科的日子其實是她一生最快樂的時光。他們年齡相當，兩人才被權力圈驅逐到異國，天涯淪落人的知己之感讓他們自然湊到了一起。

「你怕不怕？」當年她眨著眼睛問過鄧演達。看了太多流血的陰謀，國外的冰天雪地裡，政治暗殺還是她心上最濃鬱的陰影。

鄧朗笑起來，用手指削削她圓潤的鼻子。隨口唸了一句拜崙的英詩給她聽：

「不曾把剃刀拿在手裡，你就不了解生命的銀絲，多麼容易斷。」

39

後一天，孫科陪張靜江探病來了。先生一看到那位骨立形銷的老革命，顯然是才從上海趕來北京，就費力地說出：「你病成這個樣子，怎麼還來看我？」

勉強講完這句話，先生的臉色立即一片死白。這時候，脈搏由一百二十八增高到一百四十，體溫也急升到三十九度。先生病床前的紅燈亮了，駐院醫生要探病的人出來，趕緊爲先生注射了一針安眠的藥劑。

先生攢緊的拳頭漸漸舒展開來，喉嚨裡發出一連串呃、呃的聲音。呼吸漸漸均勻了，醫生才發現先生的眼角，早掛下了一排淚珠。

挨到晚上，先生點點頭，答允了夫人要他吃中藥的請求。可是先生一定先要出院，他的頭腦還管用，分的清在西醫院裡吃中藥是虧欠了自己的原則，也是辱沒了他當年選的職業。

40

文革過去，有個莫大的好處，她又可以戴上老花眼鏡，在祭日發表追念鄧演達的文字。對她而言重要的，卻是〈鄧演達文集〉終於付印。她多皺褶的臉上漾著一朵少女般的微笑，坐的端端正正，她用毛筆一筆一畫地寫下：「鄧演達同志艱苦卓絕，忠勇奮發，爲他出版文集，以誌紀念。」

●

北京寓所樓下新加蓋的電影放映間裡，她一遍遍看老片子「藍天使」。女主角瑪琳德瑞琪讓她記起柏林，第一次大戰後的柏林。大蕭條的都市，卻有某種頹唐的逸樂氣息。就在那裡，一九二九到一九三一，她再度旅歐，愛上了馬鈴薯做的薄餅、喜歡聽基調異常悲哀的德國民歌，還有，她在遙遙地追隨她心裡充滿英雄意志的男人。

那時候，鄧演達繼續浪跡天涯，偶爾才駐足柏林，未久又到了波蘭、立陶宛、保加利亞，還去土耳其與印度旅行。那兩年間，鄧演達上過一趟北極圈，足跡踏上尖島，算是第一個到那片極北土地探險的亞洲人。

●

冬天來了，她那間電影放映間生起火爐，但是夾板薄，聽的見颳風的聲音。她反覆地重看另一部老片子「咆哮山莊」。沈鬱的黑白鏡頭裡，她惘惘地想的不是她的亡夫，想到的是……天知道，當年她曾經多麼狂亂地念著鄧演達的安危。

她抖索兩片乾癟的口唇，喃喃唸電影裡的道白，「來跟著我，只是不要撇下我在這深淵裡而不能找到你！」穿過屋外的北風，屋裡那顆還沒有停止跳動的心要出去！

她並不相信永生。眼望著銀幕，她紅了眼睛想，有可能超越死亡的只有愛情……

●

半夜醒來，她又記起自己從上海去南京一路上的激狂。當年，她不住地發抖，整個體腔成了一個回音箱，呼喚著鄧演達的名字。

那是少數情境，她把自己往懸崖上推，她只要救他回來。她才不顧自己的什麼身份與地位，她甚至沒有給自己留下回頭的路！

但她畢竟還是回到上海。她沒有哭，只是木然。許多年後，她都記得那是怎麼樣萬念俱灰的木然。

●

她後來才聽說鄧演達怎麼死的，從密室被帶出去，被電線活活勒死。

據說，勒住犯人脖子時，可以讓人一點點地掙扎，再一點點地斷氣。

她趕到南京，才明白慘劇早發生了。自己來這一趟，竟然在為已經被殺害的人求生路，而且還屈辱萬狀地聽人家說風涼話，說什麼處決一個異議分子，是為了要保護夫人您的令譽！

再回到上海，她在送往〈申報〉的那頁通電上慟極地寫著：

「……忠誠的革命信仰，已經被許多殘酷的手段宣判死亡。最明顯的例子便是鄧演達的謀殺，他是一位堅強、勇敢、忠誠的革命者。……

我無法忍受親眼目睹孫中山四十年的成果，被一群自私、陰險的國民黨好戰分子與政客所摧毀。……」

●

知道鄧演達死了，她不記得自己當年怎麼樣活了下來？

有時候睡在床上，顯然是睡了一夜？她有點驚異自己還會繼續呼吸。

接下去的日子，她要驅除對鄧的回憶，她不停地奔忙，只爲稍稍忘記那份傷痛。她辦了間醫院，組織「民權保障同盟」。日後，她還客串左派特工，她什麼都肯做，包括把武器與藥品送進紅區。她不能夠看到自己那麼樣地脆弱無助。

●

那年一九三三，就在她感覺到保障人權的工作頗有進展，總算以追懷鄧演達的心情作了一些有意義的事，「民權保障同盟」的核心分子楊杏佛又被人刺殺。

雖然一樣地悲憤，還是有些不同！彼此是好同志，中間到底沒有男女的感情。不像鄧演達死的時候，她唯一的意念是爲什麼沒把自己也一齊殺死？

她愈來愈知道——生命的銀絲，多麼容易斷！

41

擔架上的先生幾乎是閉著眼睛穿過醫院的迴廊，他的臉龐透出一種先知在受難的絕望氣息。同志們在隔室竊竊私語：「先生的顏色已經像死人一樣難看。」

車子離開醫院，一路開向他將作爲行轅的鐵獅子胡同。先生的思緒在車程裡載浮載沈。連續幾天高燒下來，罩在腦門上的冰袋使他神志時而清楚：他恍惚地看到車窗外面木造的屋舍，這一瞬他突然想起台北火車站旁邊的梅屋敷，從淡水上陸後就坐火車來到那裡，御成町有名的旅舍，他很喜歡梅屋敷的雅潔，只可惜台灣是割讓的地方，日本人對宣傳革命充滿疑懼。有幾次，官廳甚至不准他上岸自由活動。下個瞬間心念飛馳，先生又記起在倫敦的日子，門窗上有重重鐵柵的清使館，那是他早年蒙難的舊地。此刻他有些心虛，當時自己寫的英文「被難記」中，誇大了從街上被人綁架進使館的一幕，增添了不少戲劇性的情節，後世人仔細讀幾遍，就可能找出難以自圓其說的地方。是他大意地踱入使館去自投羅網嗎？還是他們連哄帶騙把他挾持進去？——當年，在宣傳革命的目標下，他靈活應變的特性發揮無遺，一件事難免有多種說法。像他的救命恩師形容這位門生的：「無時不感覺一種殘酷的死亡，迫在眉睫」，因爲亡命天涯的危機感？革命的需要，他不會拒絕小小的不擇手段！現在他盡可能不那麼做了，當然還是有不得已的時候，像他把心志轉向俄國，純粹是情勢使然，天知道他未嘗不想聯合其餘各國。在這方面，先生一向具有伸縮性，事實上，沒多久之前他還在聯日與聯英之間徘徊。而前年春天，他更錯誤地把外援寄託在英國。當時他的如意算盤是經過「太子黨」中介，他的兒子總算辦點事，由伍朝樞、傅秉常一小撮人牽線，向香港商人那裡弄出些現款才好。想不到，貸方獅子大開口，竟然要求廣東財政的控制權。看來，沒有國家願意僅僅出於好心接濟先生；除了俄國，也沒有國家肯在他身上下注，目前，俄國已經成為他唯一的出路！

此刻夾在呼嘯的風聲中，側著頭去聽，先生果然清晰地聽到反對他的聲音，反對他聯俄，反對他赤化，反對他向左轉。不，先生無聲地抗辯著，他需要的只是俄國提供援助！至於先生的目標，只在讓這片大陸成為一個完全自主的國家。先生致力完成的願望上，他沒有懈怠過。為了這個必須迂迴達成的目標，先生始終心裡透亮。先生想起那個口才一流的鮑羅廷，第三國際派來的紅色活動家，對先生來說，談不上什麼私人的情誼。抽菸一隻接著一隻，加立克或三五牌，鮑羅廷的香菸常常薰得自己淚水直流。先生，你到底怎麼決定？——先生，你不能夠引狼入室！——張繼、謝持、鄧澤如這班人頻頻向他告狀，他在同志示警的信札上批下駁斥的字句。他冷淡地看了反對聯俄最力的鄧澤如一眼，誠如你料想的，這是關鍵性的時刻，不過近些年裡，對我們的黨來說，又有哪時不是生死存亡的時刻？然而值得嗎？他畢竟為了聯俄的主張惹惱了一半以上的同志，包括資格最老的革命元勳。國民黨的分裂終難避免，同志警告他；軍閥們更用這作爲口實詆毀他；北方的民衆也不諒解他；在先生最後的時日，他恍然聽見了處處是反對自己的口號！但先生就是不信邪，他寧願相信眼前各種雜音遠不如一個月後人們哀悼他死亡的喪樂動人心魄：各民衆團體將高舉輓聯爲他送葬；小女學生在他靈柩經過的時候放聲大哭；北京大學學生敬送了花圈；沿路中法大學學生扯起了「中山不死」的白布條；悲劇的愛國者爲了未實現的建國藍圖而鞠躬盡瘁，多像是敲響了充滿感召力量的警鐘啊！當先生的遺體路過西單牌樓，有人吊掛在電線桿上，只爲了看那最後的一眼；街左首四面白旗是京漢鐵路工會的旗幟，他們還記得先生，記得先生從未忘情於鐵路。雖然此刻距離先生在地圖上畫畫擦擦的日子已經很遠了，那是他的盛年，先生剛從大總統的位子上退下來，他開口閉口都是鐵路計畫，這件事上，先生狂想家的氣質顯露無遺，他只要一枝筆與一塊橡皮，就隨時可以在中國地圖上畫出三條幹線：南路、中路、與北路，南路沿著羊腸小徑，到了人跡罕至的西藏邊區，最終上達新疆的天山。十年內建築二十萬哩的鐵路，從此讓中國脫離貧窮，那時候是先生念茲在茲的演講內容，而現成的例子正是美國。談到鐵路，先生當年隨時神采飛揚，他向來訪的記者興奮地說，沒有造鐵路之前，原來美國與中國一樣都是窮國，貸款興建二十萬哩長的鐵路之後，人家可就成爲世界第一的富強國家了！

坐在緩緩行進的轎車裡，先生勉強睜開眼睛，多沮喪啊，煤灰的街景，北方的冬天看不見丁點他所熟悉的綠顏色。下個瞬間，他又想起了日本的鐵路線，迎著夕陽的列車上，進入山谷，暮色霎時低垂下來，壓過來的還有一叢叢樹影，車窗倒像面反光鏡子，自己的臉在樹影間游離著；出山的時候，車窗映射進一抹斜陽，照著車廂的地板閃閃發光，那張還沒有出生皺紋的臉在窗玻璃上模糊了。「哪年哪月？中國各地都佈滿鐵軌，都有這樣舒服又乾淨的火車廂？」當時，他很羨慕地想到。渾身疼痛的此刻，他卻寧可踟躕於記憶裡的音色之美：先生記起倒映在水裡的金閣，天授庵寧靜的一方庭院，在快要終止的人生旅程裡，他怎麼能夠跟身邊隨侍的同志說，他衷心想要再看一眼的城市竟然是京都。還有東京的淺草附近，那處日暮里的火葬場，堆著許多地藏王像與石塔，冬天傍晚時分，自己常繞道去走走。他的生命也沾染到了大和民族的悲調麼？「日本朝野，近對吾黨，非常輕視」，「彼國政治家眼光太近，且能說不能行，不似俄國之先行後說」，先生在演講裡一遍遍這樣複述，但他還是覺得日本國的許多地方熟悉而親切。「悲哉，老來欲忘情。」什麼人寫的徘句？江戶時期的！先生沒有忘記，他怎麼能夠忘情？那個橫濱的大月薰，十五歲的身體，胸脯鼓鼓的，喜歡穿大翻領的水手服，說話的時候，帶著清脆的尾韻，臉上時而現出一陣陣紅潮，毛孔細嫩的看不清楚，竟然已有一種令他心神盪漾的嫵媚。第一次把她抱在懷裡，大月薰手腳縮了起來，雖然不曾用力反抗，要讓她在榻榻米上伸展開，還是花了好大功夫，赤裸的乳峰像富士山的積雪，白皚皚地晃動著。先生不禁讚歎他生命中的女人也可以這麼年輕，抱著她，先生被少女身上飄揚出來的甜香味道感動著，那是女性自願許身才散發的氣息。先生的嘴湊了上去，眼前的肌膚不曾讓男人摸索過，對先生，那也是前所未有的誘惑，除了廿歲時什麼都不懂的洞房。他輕手輕脚，女人的腋下卻還是滲出汗來，「先生，先生，高野先生。」女人喚著先生的化名，他突然有幾分駭然，大月薰甚至不知道他的眞姓名，但她敬佩伏在自己身上的男人，那一刻充滿渴欲的身子骨裡，迴盪的是……什麼都在所不惜的英雄崇拜。想到女人愛慕的眼神，在這車程尙在繼續的瞬息，先生依然激起了恍惚的鬥志：畢竟，多年來的經驗向先生證明，任何失敗只是下一次再起的序曲。那麼，先生費力地想，無論如何，都表示我一定還有機會、還有不服輸的可能！

42

在日後，她那冷淡的女性氣質總讓男人輕易地墜入情網，她臉上的無動於衷，恰恰證明了她莫之能禦的吸引力，特別對於初出茅廬又懷著某種純潔信仰的志士。看在這些男人眼裡，她太像出污泥而不染塵的花，卻帶著命定的缺憾，與她親近過的男人都死了。

她的吸引力中還有一種好景不常的急迫感，當年是四十多歲的女人，她好像開到荼靡的花事，就要開完了……

同樣地，時間的煎逼裡，這些對理想社會有特殊嚮往的男人都心知肚明：最可懼的危險倒不在與敵人對壘的挫敗，而是不能夠預期什麼時候，可能在下一瞬間，信仰就狠狠地誑了自己一記。

●

實際上她一直知道，命運就是要她活下去！至於當年她臉龐上些許迷惑的稚氣，在危機四伏的情勢下，那無非是最有效的保護色。

就是一層保護色吧！她的路途波折坎坷，她的面容卻單純的未經多少世事。

●

想著那段「民權保障同盟」的救援功能發揮到最高點的時刻，她就憶起上海南京路中心地段一家蔻蔻店。美國式的經營賣冰淇淋，監視的人少些，她習慣在蔻蔻店會見同路的朋友。

許多年後，閉起眼睛她仍然可以看見艾德加・史諾推開蔻蔻店的玻璃門進來的一瞬，領帶鬆鬆地掛在脖子上，一張臉灑著細碎的雀斑，棕色眼睛裡有一股瀟灑的笑意。那時候，史諾還沒到紅區採訪，還沒寫「紅星照中國」，正在上海作時人採訪。見面才幾天，她在報紙上讀到這個小她十二歲的美國記者怎麼樣讚歎她的風度，報上寫著：「孫夫人的樣子比實際年齡要年輕十歲」，接下去一段，史諾敍述他作爲記者最驚異的發現是：「她的外貌與她命運之間的絕大矛盾」！

●

她坐在搖椅上，默默地張開眼睛，老囉，這次眞老囉！再想起故人，也因爲史諾的前妻海倫又到中國來了。

文革後管制已經寬鬆，奇怪的是，她卻半點都沒有再見海倫的願望。

她摸摸起皺的臉皮，今非昔比啊！她在心裡無聲地歎道。

也因爲艾德加・史諾已經死了，她在塞進她臥室門縫的紙條上批駁了請見的要求。但是——如果不是海倫，而是艾德加・史諾再來到中國呢？會不會見？要不要見？她遲疑地放下了筆。

她小心翼翼地站起身，辛苦地移動腳步，費了很大勁，取下書櫃裡的一本書。她在暗淡的光線下撫摸著有些湮黃了的紙頁，書的卷首印著：

獻給S・C・L
她的堅貞不屈勇敢忠誠和她的精神的美

43

躺在這棟平房的內院，馬湘唸給先生聽中醫陸仲安的方子：「耳環石斛三錢、野人參三錢、沙參三錢、山萸三錢、寸冬四錢、鮮生地四錢、沙苑子三錢、甘草二錢。」什麼玩意嘛，先生聽著直想搖頭，可惜他沒有力氣多說話。他迫切地需要嗎啡，先生禁不住低低地哀號著，此刻唯有嗎啡，才是安撫他入睡的催眠曲。

止痛針注射下去，先生心裡嘟噥著就因爲自己一向對胡適客氣，這時候才敢貿貿然跑來推薦中醫。而先生確實敬重西學精湛的人，儘管通洋務的學者，總在他迫切需要支持的時候扯後腿。像胡適之，不止一次地在北方報紙上寫文章抨擊自己：與陳炯明衝突最激烈的日子，還寫了一篇〈舊道德的死屍〉，怪先生不該捧出綱常名教來組政黨，胡適筆下，好像以「悖主」、「犯上」處置陳炯明倒是先生不對似的。逼得先生也在演講裡反擊道：「一般醉心新文化的人，便排斥舊道德，以爲有了新文化，便可以不要舊道德」。哎！別再還就這些好持苛論的學者了，其實先生已經打定主意，絕不看站在床前的胡適，也不看胡適身旁那位說是名滿京城的大夫。「適之，你知道，我是學西醫的！」先生閉著眼睛，一句話，就想辭謝胡適的好意。

一旁的夫人怯怯地開了口：「人都來了，讓大夫把把脈吧！」那種乞求的語氣，先生拗不過。歎了口氣，先生勉強轉身向內，瞪著那塊白粉牆。大夫坐到了病床旁邊，一陣颼颼的涼意，腕關節正按在別人的手指底下。然後就開出來這張「謹擬方於下，侯酌」的藥單，還寫了什麼「驚恐憤怒，已傷肝經」，眞的能夠由脈象看出來嗎？他自己知道，致命的憂傷是在心裡！近些年，人們不明就裡的譏評，確實傷到了他不屈不撓的鬥志；數十寒暑的慘澹經營，又有幾個人眞正同情他？人們一味怪他「時左時右」，罵他「徒釋外觀，終無實際」。人們誇大地說，如果中國需要極權才能夠強盛，中山並不介意成爲極權主義者；需要社會主義，他也會以最快速度成爲師法列寧的統治者……

但是誰又瞭解先生爲了調和歧見付出的苦心？——防止左右派同志的分裂，他已經竭盡所能。眼見俄國的革命情勢一片大好，一方面，他或許太匆促了，硬要把民生主義等同於社會主義；然而另一方面，正因爲要減輕守舊派知識分子的疑懼，他可是不假餘力地在牽連三民主義與傳統思想之間的關係。民本、民爲貴，把儒家的孔子與孟子一齊拉進來！先生給友人的信上寫著：「夫蘇維埃主義者，即孔子之所謂大同也。蘇俄立國之主義，不過如此而已，有何可畏？」事實上，先生的本意就是融貫中西。早年醫技的專業訓練，也使他一貫不喜歡過於抽象的思維，而傾向於採用融通實用的哲學。無能全盤通曉的事情上，他的原則一向是折衷處理。許多年前，其實他就頗爲睿智地說過：「北方如一本舊曆，南方如一本新曆，必須新舊並用，全新全舊，皆不合宜。」

而這片廣大的土地上，新舊曆不同，就好像響著幾個不同時鐘的滴答聲。爲了不遺餘力去融合現狀，先生時時要去向各方妥協，竟然遭人誤會到這般地步，他付出的代價也太高了。最嚴重的一次，謠言還說當年先生不惜與日本人作出妥協，大亞洲主義的旗幟下，給日本人在華權益，只要中日一同反抗西方的列強。爲那件事，黃興居然也託馮自由勸告先生，當時黃興的信上一遍遍請先生「不爲小暴動以求近功，不作不近情言以駭流俗」，哎，先生在心裡深深地歎著，人們愛怎麼講就怎麼講吧！反正與黃興比較起來，怎麼說，自己總是驚世駭俗。怎麼說，守舊派知識分子都樂意接近作一手好文章的克強，寧可相信他的「休休之容，藹藹之色」。黃興的葬禮上，別人寫的祭奠文到處是向自己挑釁的語氣，什麼「公去則念、公留不容」，什麼「親如孫公、當仁不讓」，什麼「辛亥言功、癸丑言過」，在那些人眼裡，黃興是個把領袖位置謙讓給自己的君子，也更接近他們熟悉的士紳文化。

先生此刻愈想愈洩氣，覺得自己裡外不討好！反過來看，不只胡適這班洋學者，西方人又何嘗瞧得起自己。他們動輒用民主政治最嚴苛的標準，批評先生的家長制作風。連同志叫自己「先生」，他們都說是神聖化領導，以爲先生把同志當成門徒，當成必須尊師重道的孔門弟子。事實上，先生的直覺是對的，即使到了後世，研究孫中山的外國學者仍然吝於給他公正的評價！客氣一點的像韋慕廷，稱呼他是「挫折的愛國者」，還用這句話當作後來一本書的名字；不客氣的像史扶鄰，乾脆直言先生「如果說他有一貫的才能，那是他失敗又失敗的才能。」或像沙曼女士，她斷言中山是一個「手腕愚拙，判斷不周，配合差錯，對人處置混亂」

的領袖。至於與先生合作的俄國軍事專家鮑羅廷，認為先生「把自己當作英雄，別人當作無知無識的群衆」。事實上，那也是「第三國際」的普徧看法，當時連列寧都恥笑先生「天眞無知——像個黃花閨女」。關鍵是別忘了那些人正站在他們的國族本位看另一個積弱不振的國家，他們才不眞的關心中國，他們談到中國免不了譏誚的口氣，他們難道在乎中國人的貧病有多麼深重？而此刻病在床上的先生在乎！人民的苦難總帶給他最大的挫敗之感！中國的赤貧、窮到了軍隊沒有鞋穿的慘狀是先生目睹的，帝國主義的盛氣凌人是先生親受的。外面是嚴寒的北方冬天，嗎啡的功效下，先生迷亂地想到與帝國主義互為表裡的軍閥，用各種手段打擊自己，試圖吞噬自己一切的作為，而他繼續致力於北伐的軍事目標，除了不屈服的個性，也因為他實業計畫的藍圖從不是一省、不是一隅，而是這整片積弱的土地。如今，他將從權力場黯然退出，北方大地上再落一場雪，畢生的努力也被掩埋乾淨。不甘心的是，他錯了嗎？可憐他只是不握重兵，不講極權，少了軍事實力，以致留下來的都是殘局。目前看來，他籌謀裡自立自強的中國，又縮小到如同他起事時的版圖！

先生看到門外一閃的人影，他勉強發出聲音，問床前的副官是什麼人探病來了，馬湘告訴先生，行轅裡已經分了幾組專司接待。其實直到最後，除了病榻旁的親信同志，先生也沒弄淸楚哪些人出於禮貌、哪些人出於愛戴到院子裡來探望他。早些日子，先生還不住地盼著北方的實力派到北京飯店瞧他的病，現在他一點也不介意了。下一瞬，先生依稀又聽見門外的人聲，他睜了一下眼，看到窗簾後面的天光，他繼續在梭巡屋裡牆上的掛鐘，他想起自己可以作的事——他可以停下時間，他急著高聲叫暫停！自從老朋友伍廷芳死後，他不曾坐在棋枰前，但他還記得棋盤上死中求活的道理，只要再多給自己一點長考的機會……

只可惜到了此刻，他身體裡的時鐘已經無意稍待，正愈來愈快地滴答起來，朝著多年後訂爲植樹節的國定假日迅速推移。

44

她更老了——有時候，她眞不相信自己已經活了那麼長久。

看著櫃子裡的書，從上海搬來的，部分是丈夫的舊物。蒙著一層厚厚的塵，她愈覺得與它們隔的遙遠。

她還在想著一些讓自己振作的東西，一個笑話？一張年輕耐看的男人面孔？一盒外國來的巧克力？即使有場令人精神抖擻的辯論也好！

許多年前，她習慣的就是帶有機鋒的談話，其實她一直喜歡巧黠的人。

假牙不合適，她只能夠吃些最軟的東西，淡而無味。

她曾經會游泳、騎馬、開汽車，自己都不敢相信，那是在她年輕的時日。

看著相片裡的孫文，她羨慕丈夫不必活到老年，經過那麼多的折磨！

●

令她愈想愈頹喪的是，活到這麼老，仍然免不了與要利用她的人一起周旋！

她眞不喜歡身旁繞著的這些人。當她的面恭敬地叫她「首長」；背著她呢？——她猜的出每一位新中國的順民都有兩副面貌！沒人能夠瞞過她，在周圍的人跟前，她的聲音嚴峻而疲乏，她一貫擺出冰冷的臉色。

他們也別想發現她的錯處：她的信從來沒有上下款，她寫的字條總是立刻毀屍滅跡。以前，爲了營救左派知識分子，她學了不少地下工作的習慣。

●

她底下的人，一向聽鈴聲作息。

重要的任務之一是：周而復始地陪她看那幾部老片子。在一樓的放映室，她一遍遍地看，一遍遍盪氣迴腸。

總是從北京飯店叫人來按摩，一個星期至少爲她按摩三個上午。有時候，按摩完了還是渾身痠疼，她惘然地記起S那雙有力道的手，曾經多麼靈巧。

她眨巴著眼睛努力想，上海生產的五香豆與白兎糖，是她能夠想到最好的事情。她用糖果獎賞在電影終場前及時醒來的下屬們。

●

讓她咧開沒牙的嘴巴笑幾聲的只有那對姐妹，郁郁與珍珍，託了好大的人情，文革完結後到了現在，她們總算回到她身邊，住進這棟王府裡。

姐姐郁郁點子特多，想出各種花樣來逗媽太太高興。照相或見客的時候，郁郁偏去把她的假牙藏起來，佯稱找不著，直到最後一分鐘才把假牙塞進媽太太嘴裡！她湊趣地笑。郁郁珍珍裝作還沒長大，繞著她玩這種捉迷藏的遊戲。

郁郁在外面交了男朋友，常常進出友誼商店，又在咖啡座簽帳什麼的。有人多嘴向她提起。「別大驚小怪！」她還沒聽完就不耐煩地搖搖手。

她要讓身邊這些人明白，雖然這麼老，她還沒老到隨外人擺佈的地步。

● 沒有人瞭解她真正的感受，那些外人，又哪裡懂得這對姐妹給了她些什麼！成不成器是一回事，郁郁珍珍至少會依偎在她膝下，她們軟乎乎的手掌會摸她經過滄桑的一張臉。

「瞞著您呢！可騙不了我們這批人！」向她告狀的下屬，講的都是郁郁在外面如何驕縱如何花錢的壞話。

她突然心裡賭氣，她一生經過了無數的騙局，這件事上，她寧願蒙著眼睛騙她自己！

● 海外來了一位遠房親戚告訴她，住在長島妹妹的近況。

那位親戚捕風捉影地說：「寂寞呢，容貌也不行囉，用牛奶洗澡總有不管用的時候。」然後又撇著嘴形容，當她妹妹卸裝放下頭髮來睡覺，舊日的僕從傳話出來，活像是駭人的女鬼。

親戚的用意大概在討她歡喜，她聽聽卻有一種奇異的疼惜之情。小她四歲的妹妹啊，她又想起自己臨睡前披下頭髮的那副樣子。……事實上，她想，也只有她這麼老的女人會眞心憐憫另一個差不多年齡的女人！

●

外面有什麼？什刹海？銀錠橋？大翔鳳胡同、小翔鳳胡同？她茫茫然地想著，外面是高牆隔離掉了的一片天空！

這一陣她病的久了，腿腫到不能夠下地，更覺得自己置身冷宮。可不是嗎？她住在棄置的王府裡，她是先帝崩殂後遺留在人世間的年老嬪妃。窗外的雨似乎還在下著，她爲自己這荒謬的想法逗樂了，枯澀的眼睛瞇成了兩條細縫。她笑出聲，聽幽咽的笑聲震顫著，她臉上熱燙燙地，映著淚光的一瞬間，越過了前面一堵高牆，她看見了在雨水裡斑斕十彩的琉璃瓦色。

45

一九二五年二月二十八日香港〈中國新聞報〉寫著：「先生病狀無變化，昨夜安眠，神思略佳，服中藥後微瀉。」

國民黨黨史館編纂的〈國父年譜〉裡，回溯這一段時間，頻頻提起的倒是蔣中正的名字：不時有他馳電告捷的消息，在先生身旁侍疾的汪精衛還回電給那位黃埔的蔣校長：「介石兄鑒：接銑午淡水捷電，逐句稟告總理，不勝欣慰。並諭代電獎勉各將士，努力殺賊，以期三民主義之實行。兆銘。」

46

她陸續有求見的訪客。這一次，通過國務院，務必要見她一面的是當年的故舊伊羅生。多早以前了，上海，法租界，莫里哀路二十九號，史沫特萊女士帶過來見她的美國猶太人，說是有可能同情她的宗旨。第一次會面，她已經感覺到那雙跟著她進進出出的藍眼睛。那時候，伊羅生才二十出頭，她已經是四十幾歲的孀婦。

那時候她佯裝並不明白，就好像她現在也佯裝都忘記了。而她自然記得的，記得面前這個銀髮的老教授濕著眼睛要回憶的是些什麼，就好像她當年立刻覺出那份衷心仰慕的情意……

她鬆垂下來的眼裡還是同樣的笑，從容而冷淡，帶著極度的自制，但她仍舊有所感動。當年，在她明淨舒適的家中，其實她破例地警告過這個天眞的年輕人：

「上北京，你要小心那些人！」

「小心國民黨嗎？」

「不只國民黨，我們以爲是朋友的，你也一樣不瞭解，」她不尋常地說眞心話，又殷殷叮嚀：「政治圈，沒那麼單純，他們什麼事都做的出來。」

現在，北京住宅的客廳裡，她被底下人扶出來見客。到如今，她只願意談談身邊的兩個女孩子。她打斷伊羅生敍舊的話題，她笑瞇瞇地說：「讓我告訴你，我新近才有機會團聚的親人，郁郁珍珍。」

●

外國寄來了英文書，海倫・史諾回到美國後新寫成的〈重返中國〉。

她緩緩翻開書，書裡除了遺憾著這一回沒能夠在重遊中國時見她，倒極盡詳細地寫出她上海法租界的舊居今昔，以及記著她們四十年前相見的小節，包括她那時候送艾德加・史諾與海倫一具銀咖啡壺作結婚禮物。特別形容她的部分，海倫讚歎地寫著：

「孫逸仙夫人在她一生中要選擇什麼就可以選擇什麼，她却選擇了危險與自己孤立的荒涼道路，……爲什麼呢？」

她撫摸手裡的書，慢悠悠地想著，自己何嘗有多少的選擇？

回想起來，她曾經走入的確實是人跡不至的場域，遺憾的正是：沒有人告訴她，怎麼樣去走一條容易的路！

●

政策更寬鬆了。

官方的示意下，她指定身後由入中國籍的外國人愛潑斯坦寫傳記。文革後，愛潑斯坦重作宣傳雜誌〈中國建設〉的主編，寫這本書，她笑笑地想，老朋友必定知道怎麼樣爲亡者諱，她信得過他。

幾家外國書商透過各種關係與她聯絡。美國一家出版社答應她五十萬美金，只要她願意寫自傳。她向身邊的郁郁與珍珍打趣地說：

「想想看，五十萬美金啊！」

她自己知道，她不可能留下任何文字。她失望透頂了，對這個世界，她再不存著任何幻想！

47

到這一刻，只有先生還不相信死神已經近在咫尺。他的頸部鬆軟無力，脚背鼓脹起來，手臂在側睡的時候放在他的腰部，立刻滑了下去。望著先生，馬湘才知道任何不經意的姿勢原來都需要體力。而他的主人還能夠言語，當馬湘靠近先生的嘴邊，簡直不相信自己聽到了「四姑」。「四姑，」先生嘶聲地喊道，在這個時候，唯一沒有受到損傷的是過去的嗅覺，先生聞到四姑身上的汗味，難道剛才還在爲過往的同志洗衣作飯？汗水濕答答的，順著臉頰邊的頭髮向下淌，混著某種甜而膩的狐騷。喔，不，那早就不是關於恩情的記憶，深切的竟然是做錯了的憾恨，自己什麼都沒有給她。像先生的元配盧氏，長女亡後，至少還剩下一兒一女，而他們對母親都比對父親更親近。像年輕的妻子慶齡，雖然將失去丈夫的翼護，但她畢竟教育受的完整，還有一個大家族可以投奔。只有四姑，始終是無求於他的一個女性。

「四姑，」輕的像一聲歎息。馬湘適時地握住先生滾燙的手，令馬湘驚異的卻是那種乾燥的灼熱。先生呻吟地哼出她的名字，四姑、香菱、陳粹芬，那是太久遠的從前，在南洋、在日本橫濱，在先生奔走革命前程最黯淡的年頭，先生記得的她雙手粗壯，屁股豐滿，連乳頭的皮膚也生滿棕黑色的皺褶，好處尤其是每一次先生說走就走，她從來不敢過問男人的去向。只有一回，鎮南關之役前的晚上，喝了幾杯送行酒，四姑的眼圈紅了，流露出來一些醉態，竟然扯住先生的臂膀緊緊不放。是哪一年？先生記不清了，他們倆後來又見著面了嗎？先生也忘了。只知道四姑始終未嫁。那麼自己留給她了什麼？噢，先生記起那隻康德黎先生送的金錶，他留在四姑身邊，聽說四姑不時地拿出來給別人看看，四姑、四姑，他一遍一遍出聲地唸著，以免忘記那個與他生命中曾經活潑的精液合而爲一的名字！

站在先生床前，馬湘檢視著先生的手臂，青青的筋脈，浮凸在皮膚外面。多年後，馬湘在回憶中寫著，他記住的還有先生糞便的顏色，以及遺蛻經過處理空盪盪的身體。但在此刻，對馬湘來說，先生會好起來，他怎麼樣也不能相信，兩個月前，先生還是好端端的一個人！這些年來，他跟隨先生到過許多地方，與先生分享著許多珍貴的回憶，他原本是海外專長八卦劍的洪門兄弟。護著先生，他記得躲過了不只一次的生死交關。馬湘最津津樂道的是先生經過梧州的那一次，先生乘滑竿上望夫山視察情勢，半山腰一根滑竿斷了。後來先生枕著他的手臂自山上滑下，他手臂上有幾處擦傷，先生卻連衣服都很完整。這個插曲在日後愈說愈千鈞一髮。那幾年有機會保駕先生，就是馬湘此生最值得稱道的一段奇遇。

這時候，像奇蹟一樣，馬湘聽見先生的聲音：

「抱我起來坐下！」

馬湘抱起先生，這時候，馬湘先發現先生的身體已經輕了太多。馬湘把先生抱在窗檯上，再低下頭去，將先生的左脚放在肩上，爲先生輕輕搓揉著。馬湘感覺到先生的腿腫未消，腹部又有積水，肌肉已經失去了伸縮力，摸起來，竟是滑膩的一片。

那天午後，先生的體溫倒沒有如同前幾天中午一樣遽升起來。看見先生面色的人，都以爲中藥產生了特效，奇蹟終於出現。更像奇蹟的是，先生竟然開口想吃葡萄。後來，馬湘坐著汽車找偏了全北京城，才在傍晚時買了幾串回來。

剝淨了皮，放一顆在先生嘴裡。先生口部肌肉動了動，一陣嗆咳，還沒有吞進去，已經把胃裡的苦水嘔了出來。

48

●

有時候，夢裡是探照燈的光束忽然交叉忽然分開；她浮腫的臉上現出不正常的潮紅；有時候，敲窗的驟雨中，她發出模糊的囈語。直等到半夜閃電的一道光痕，她才抖抖索索地抹去自己臉上濕濕的口涎。

似睡非睡的光景，她把眼光移向牆上孫文的照片。下一道閃電的瞬息間，她發現自己的面孔愈來愈像照片中的丈夫：平整的五官、渾圓的下巴頦，簡直分不出性別，到頭來，嘴角掛下來，也就頹然放棄了。高齡把她原來容貌上的優勢打磨殆盡，老年，原來就是某種趨同的過程——

●

打發時間吧！癱在床上的日子，她常常算自己什麼時候老的。脚不能動，她頭腦還很清楚。她在一路回溯本身的角色：早年，人們試圖把她變成與孫中山有關儀式裡的花瓶；甚至更殘酷地，好像裝在錦匣中的陪葬物、或者釘在鏡框內的蝴蝶標本。天知道，她多麼努力地去反抗，自己不只是他的遺孀！

可笑的是，到這幾年，難道又翻轉過來？——她自問道。文革雖然成爲歷史了，丈夫的地位未見恢復，無論她喜不喜歡自己遺孀的角色，卻彷彿亡夫的守護神一般，年年被四個大漢抬下樓，一路抬進禮堂，在行禮如儀的紀念會裡念演講稿。

●

演講稿裡的那些話，她其實是在體恤死者的意思！

她迷茫地想，丈夫始終沒有瞭悟，這世界終於是一片荒涼。

她記得丈夫極不甘願的面部表情，到臨死的時候都存著僥倖的心思：以爲也許會贏，牌局還沒有結束！

比起丈夫，後來政壇的鬥爭中，是她有機會站在勝利的一方，她幫忙建立了社會主義新中國。那年十月一日，她領著頭，登上天安門城樓參加開國大典。現在呢？她坐在病床上怔忡地想，經過一場文革，綜結這一切的語言是：誰也沒有得到最後的勝利！

她摸著自己佈滿老人斑的面容，勝利是假的，什麼又是眞的？像她，對眞心愛過的人倒始終堅貞不移！

她與丈夫不一樣，她想，她從來沒擔心過歷史會怎麼樣寫她。

49

「我不必，說什麼，如果病好了，我會先去溫泉療養，然後想些日子，再慢慢跟你們說；如果身體眞的，不行了，你們，怎樣做就怎樣做，我沒，沒什麼好說的。」

努力要一口氣說完，先生張開眼睛，想著多年來得到的寶貴教訓：說過的話會回頭來反對自己。他環顧此刻在他旁邊的同志，這些人聽到先生病重的消息，都放棄彼此的歧見，恭謹地站在他的床前。甚至等不及地爲他寫好了遺囑，在先生精神比較好的日子，又怕只是迴光返照，反而催促他早賜訓誨。

先生看著拿遺囑的手，修長白皙，絕不會是謀叛的一隻手！床前幾張殷切的面容，在先生搭下眼皮的一瞬，卻交換著警戒的神色。先生只是不願去想同志之間可能正醞釀著的什麼；就好像他也懶得再思忖身後的年月，少了自己作調人，那又是怎樣不同的一場權力角逐！這兩年裡，黨內左派與右派的鬥爭讓他筋疲力竭，可惜地是，卻少有人去鑽研積弱的土地如何變成均富國家的方法！——先生想到自己很有心得的「單稅制」，多麼簡單明瞭，「重價之地必完重價之稅」。自從二十年前初次接觸，他就成爲亨利・喬治學說的擁護者。土地壟斷是一切分配問題的樞鈕，而貧富問題就是分配不均的問題，他一再複述。同志們卻缺乏繼續研討的興趣，反而對派系的傾軋更擅勝場。哎，他想不下去了，以他現時的精神狀況，即使卯足了勁，他也無能預想國民黨將怎麼樣分裂！近些年間，他總以為憑著自己的威望可以壓住蓋子，北伐的行動更使得黨內團結向外，而這只是目前的狀況。未來呢？先生勉強憶起一些早年留下來的疑難雜症，包括宋教仁黃興當年對責任內閣制的主張，雖然受挫於自己贊成的總統制，先生推想在將來或許會捲土重來，釀成另一次的風波。但願只是議堂上的君子之爭，先生憂心地想著，可不要在同志間動到干戈才好。

「無數敵人，都會圍困你們，等著軟化你們。我如果，留下很多話，反而平添了你們，呃，許多危險。不如不講，由你們去應付環境，比較容易。」先生慢慢地又沈吟道。

自己將留下什麼？思想嗎？主義嗎？革命精神嗎？這一瞬，隔室傳來夫人悉悉索索的哭聲，自己還留下了什麼？——先生於是悠乎地想起另一張呈上來要他簽字的家事遺囑：「余因盡瘁國事，不治家產。其所遺之書籍、衣物、住宅等，一切均付吾妻宋慶齡，以為紀念。」其實，這倒是最貼切的說法：不治家產，對自己的財物他一向那麼樣大而化之。早年，他弄到的些錢往往只夠買下一次的車票或船票；到現在，唯一的一棟上海寓所是華僑捐贈的。更諷刺的是，自己一生大半時間都在籌錢，他幾乎每一天都為籌不到錢憂心忡忡！絕望的痛楚裡，他又感覺到如影隨形的壓力，而他永遠忘不了那個夜晚，先生僥倖地想到，自己在美國克羅拉多州的丹佛城，「新軍必動，請速匯款應急」，正是先生在得知武昌起義之前手裡拿著的一張電報，他的密電碼放在行李中，由於行李先到丹佛，他於十月十日夜晚人抵達丹佛城後才讀懂電報。他苦思了一夜不知道應當如何覆電，十月十一日早餐桌上，看到武昌爲革命軍佔領的消息，他的第一個念頭是這可好，解決了必須回電的難題。事實上，錢，之前也一直是先生的椎心之痛。早在一九〇七年同盟會時期，因爲公款的去處交代不清，就強烈地受人攻訐。〈民報〉主編章炳麟公開抨擊他侵吞革命基金，主張開除先生的黨籍。多冤枉啊，先生吁了口氣，閉上眼苦笑了。後來又遇上更倒楣的年頭，一九一七到廣州建立軍政府，他的政府全沒有進帳，自己無餉無兵、無械無地，無法擺脫對「客軍」的倚仗，先生成了寄人籬下的空頭大元帥。不只命令不能夠出帥府，甚至政府上下職員，每月僅有「零用二十元」，即使乞憐到那種地步，軍政府還是逼走了他。此刻先生不禁想著妻子日後的窘狀，要教她向別人伸手拿錢作家用？除了兩千多本舊書與一間別人捐贈的住宅，未給夫人留下一塊錢！

……夫人飲泣的聲音繼續傳來，自己沒留下遺產不說，先生很無奈地想，到這時候，他其實沒什麼體己話要對她講，他只是模糊地爲妻子感到悲愴。他知悉外面的世界將更快速往前運轉，在其中趦趄難行的正是他的遺孀。先生未能夠預見的是：夫人的困境並非錢的壓力，也不是現實生活上的蹇澀，而是她將要目睹往日的革命同志，紛紛背離了先生選擇的途徑；她還要出亡海外，歷經令人齒冷的骨肉相違，然後才決絕地說出：「我對於革命並未灰心，所最令我灰心的，是爲有些領袖革命的人已經走進了歧途。」

這一刻，夫人在隔室的哭聲，因爲極度抑制而格外地哀切起來！

50

她想起那年到北京，她的丈夫是怎麼樣在一兩個月之間就油盡燈枯。瀕危之際，丈夫曾把她叫到病床邊，聲音帶一種痰多的模糊。她還沒有聽清楚，丈夫已經因為開口說話而氣促了起來。

病人的嘴唇還在不停地掀動，她哭了，漸漸只剩下自己啜泣的聲音在耳邊迴繞。她握住病人的手，似乎經由病人的指尖，死亡這一刻成了可以傳遞的電流，她整個人害怕地微微發顫……

她的香菸在手指間熄滅了。現在，她坐在無邊的黑暗中間。屋裡瀰漫著垂死的氣息，從門縫裡鑽進來，在室內向各方湧動。

她又聽到音樂，她一向喜歡的那首「安魂曲」。

51

常想著媽太太一個人正默默躺在陰影裡，穿過死亡，而媽太太所見證的是一個世紀的變局：

變局之中，門第、容顏、愛情都不可恃，到頭來，僵直了的媽太太繼續在那棟大房子裡等待嗎？等那半夜的一道光痕，媽太太才被觸醒著震顫了起來，在鋼琴上按下少年時熟識的樂曲，手裡貓熊牌香菸的一點火光……啊，這是小說場景，我在寫小說了，的確，如果不是我的媽太太，多麼適合作小說人物，……卻不要寫的像所有已經出版的宋慶齡傳記，充斥著官式語言，看過難以對媽太太留下任何印象。

怎麼寫呢？其實，我不會寫小說，更何況……到處是蛛絲馬跡，到處又都是被刻意抹拭去的痕跡！

除了像是個嚇破了膽的老婦人，點綴性地在慶典裡亮亮相，外面的人常常用金絲籠的鳥形容我的媽太太，住在籠子裡，沒有音訊，失去了自由。我記憶裡的什剎海，就是最後一些年愈縮愈小的籠子！

我抬起頭，辛遜媽媽當骨董收藏的鳥籠吊掛在我的眼前。

可憐的媽太太，儘管不喜歡住在那裡，卻走不出什利海裡那個大院子，好像養熟了的鳥，出了鳥籠可是要迷路的……。

52

再一日，先生卻陷入了昏迷狀態！

嚥進去的東西剩下牛肉汁與人參湯，他已經失去味覺。同時先生的時序錯亂起來，生身的父母早成了祠堂裡灰撲撲的牌位，他們是太遙遠的記憶。他反而不住地想到孫眉，那位經常嚴責他的大哥，爲了自己的革命事業，孫眉幾乎傾家蕩產。睜開眼睛，先生記起剛才小睡的片刻，難道正夢迴親手設計的住宅？他鬼魅一樣的身影在長廊間穿行，南國的暖風吹來，襯著椰子樹的天光，與眼前四合院裡垂下冰溜的屋簷完全不同。而這幾天昏睡的光景，他猜測南方他的根據地鐵定有一些謠傳，謠傳民國的大總統已經死了。不，他不肯撒手，他關心東江軍事，他還在等北伐軍告捷的消息；只要有口氣，就不能夠忍受這只有民國年號沒有民國存在的現實！不是他的錯，自己甚至不曾錯過任何的時機，幻覺裡，他張大嘴巴爲自己辯白。他要說些什麼？他只是時不我與！可恨他費了好大力氣，才弄到個不生不死局面。自己那麼執著於統一南北的目標，前後經營了五年之後，連在廣東一省的地位都很難確定！飄忽的意念在他腦海跌跌撞撞，讓那微弱的呼吸更加不順暢：「我不是軍閥，我是醫生，打仗是以毒攻毒。」先生想起了自己跟美國公使舒爾曼講過的話，爲的是澄清一些誤會，誰教人們總是誤會他？那是廣州，一九二三年嗎？他識人不明，硬是看走了眼，錯把西南軍閥當作「義師」的歲月，先生只記得在春天，處境艱難透了。他歎口氣，下一分秒，接著又聽見自己正無聲地問道：「我畢竟成了貴族？還是始終是科西嘉不知世事的窮小子？」喔，已經被政敵流放到孤島上了嗎？先生在複誦拿破崙傳記中一段自語。從前每次讀到這裡，先生都深深地受到感動。此刻他呻吟了一聲，尖銳的痛楚令他的思緒再度趨於模糊，他想不清楚自己完成了什麼，但在這樣困厄的旅途後必定贏來一些助力，他告訴自己。就好像在歷經那麼多的失敗之後他必定創造了什麼！究竟是什麼？他創造了一個國家！還是一個有關國家的夢想？但他確實在努力規畫這個國家往前看的藍圖：交通之開發、商港之開闢，鐵路一十萬英里、碎石路一百萬英里，於中國中部、北部、南部，各建一如同紐約的大港口，沿海岸再開一些商業港與漁業港，還要造林、還要治鐵製鋼、灌溉蒙古與新疆、移民於東三省，「上述規畫果能逐漸舉行，則中國不特可爲各國餘貨銷納之地，實可爲吸收經濟之大洋海」……

先生腦海裡一片漫漶的墨跡，妻子還在記錄自己的「建國方略」？下個瞬間，先生感覺到一隻清涼的小手擱在他額頭上，他睜開眼，望著陪在身邊走這一程的妻子，動作的時候香風細細，講起話輕聲輕氣地惹人疼憐，瘦了更加清麗起來。喔，他多想把自己的身命奉獻給她，羅莎蒙黛。而這是先生難得深情的一瞬，他旋即又很現實地想到：留下的其實不是一個，而是三個遺孀：孫夫人、盧夫人，四姑爲自己苦守多年，應該叫作陳夫人。還有一些記不清面目的女人，那位花名靜子的舞子，她是台灣梅屋敷料理店的紅牌藝妓，先生想到自己盤膝地坐在榻榻米上，開懷地斟滿一杯酒。他正是疲憊而勞頓的革命家，除了聯絡同志，他要求無止境的亢奮狀態。到現在，或許……唯有那樣的狀態可以幫自己度過難關。唐人街附近的小旅館裡，更早年的事了，他想到女人如同新剝出的雞頭肉一樣不住顫動的乳房，他激狂地撲倒下去。這一刻，他竟是無能地閉上了眼睛——

突然間一切靜止下來，「孫先生過去了！」他聽見雜沓的腳步聲，夾著幾句驚呼。大概在作急救的步驟，接著，醫生將他的手臂放在病床旁邊的矮几上注射針藥。他好像平空站了起來，高高的看見了，橫伸在矮几上那截自己的手臂，活像是一條細瘦去毛的肘子。

然後他聽到鐘敲十二響，又一天過去。先生吁了口氣。「我總還有些日子，」他無聲地對自己說，他知道昨天不肯簽字遺囑的決定正確無比。

53

她無意葬在紫金山，她不要合葬！事實上，經過大半生的變局之後，她從來沒有這樣的心願。

●

她想到躺在靈柩中供人瞻仰的丈夫，長袍馬褂的造型倒像年老的儒生：死亡如果是向下塌陷的處所，她的直覺裡，丈夫愈來愈墜落入那種深沈的惰性之中。

但是女人與男人不同，女人一旦離棄了原有的規範，她渺渺茫茫地歎著：只會走的愈來愈遠。像她，從來不可能再回頭！

●她想，自己反叛過一切加在身上的規範。曾經用最低調的方法，……她翻轉了一個世界呢！

54

就在這婚禮前夕，我還一再想到媽太太的葬禮，也因爲一股怨氣始終沒找著出路……

尤其恐怖地是紀念畫冊裡，有一張媽太太化好了妝躺在玻璃棺材裡的相片，前排站著許多含著眼淚的小朋友行舉手禮，圖片說明是：「孩子們向慈愛的宋奶奶告別」。當年我看著照片氣呼呼地想，攤給媽太太一個奶奶角色也罷，分派到前排去站的孩子晚上會做什麼樣的噩夢？

哪有人懂得？我確信沒有人懂得媽太太的心意！

不是愛熱鬧的人，媽太太何曾又會要一堆叫她「宋奶奶」的孩子爲她掉眼淚？

其實，「家庭」這個意象也一向令我迷惘。等我後來輾轉到了紐約，最害怕的月分就是十二月，滿街捧著大包小包禮物的人，家家戶戶閃著聖誕小燈。我借住在布魯克林舊房子裡，幾件老家具，我把一間屋子的擺設挪來挪去，遠近的燈花裡，怎麼看卻都像個靈堂。

碰見辛遜，我才開始有家的嚮往。我其實有點不知所措，再幾個鐘頭，難道說，我就眞的要步入一個傳統的出路？

55

他們一匙一匙地朝先生口裡送，先生嘴巴一閉上，湯汁全從嘴角流了出來。

到這時候，水腫有增無減的緣故，醫生決定停止多日來的鹽水注射。

56

失去理智前，她始終鎮靜地在思索：死亡像一個奇妙的閘門，一點不可怕；瀕臨死，她甚至有很輕鬆的感覺，好像等到了最後的約會。她早已經斷絕了與舊時光的聯繫，藉著死亡，卻可以與過去接合在一起。

她想要回到過去的某一點，回到什麼都還有可能的時刻。第一次見到孫文，她穿著西式的圓裙，純白的顏色，領子上都是細碎的荷葉邊。這一刻，死亡將臨的時候，她似乎嗅到了當年衣服上絲絲縷縷的甜香。

她在香味裡嫣然笑著，可不像當年的丈夫，她沒有什麼放不下心的未竟之業。噢，郁郁與珍珍，睡到她床邊來陪伴她的小姐妹，一瞬間滑過她垂死的腦際。她想要叮嚀些什麼，又覺得隨她們去吧！她記起自己父母，千辛萬苦爲每一個孩子設計前程，結果怎麼樣？手足離散，都是始料不及的結果……

年輕孩子總有她們的將來，她太睏倦了，沒什麼放不下的心！

57

●

媽太太眞的放下了心嗎？

不願意理會任何人的媽太太，在最後一兩年間，與外國的老朋友又有了聯絡。媽太太在每個便箋上都寫着對我與姐姐的關心，盡量在暗示別人，我們才是她心裡唯一的記掛。

或者媽太太必然已經預先見到，葬禮對我們姐妹就是掃地出門的一天！

剛出國的時候，總有人警告我不要向外人多說什麼，其實不用警告，我自己想作的也是跟過去的關係一刀兩斷。

●

我終是沒辦法徹底切斷，包括嫁給辛遜也沒有用。辛遜說，他喜歡我，正因爲我臉上藏着太多的過去。

夢中，我又回到那個巨大的宅第。

姐姐寄給我一卷媽太太故居的錄影帶，我看過那卷沒有主人身影的旅遊紀念，鏡頭於室內家具間緩緩移轉，旅客們踩踩地毯，望望壁爐，在樹蔭下攝影留念。上海與北京兩處宋慶齡故居已列爲全國重點文物保護單位。配上沈沈欲睡的音樂、悠揚頓挫的旁白，結尾時，女聲倒突然高亢了起來：「飛吧！振翅高飛吧！飛向遼闊的藍天——」

載着太多沈重的秘密，媽太太龐大的身軀飛得起來嗎？飛向了哪裡呢？

58

先生感覺到堵塞在胸腔裡的痰塊，他居然沒有足夠的力量把它咳出來，同時，自己生命內容的畫面正由腦海中點點滴滴溜走。而他記憶裡一些殘餘的片段的印象，成了他與眞實世界唯一的連繫。先生想起革命的好同志。出現在他網膜上的是陸皓東、宋教仁、朱執信……，他立即又提醒自己都是一些亡故的名字，記得的還有宋查理，這些死人一一到眼前來了。宋曾是多年來最可靠的支持者，臨終卻都沒有原諒自己，最後那段時間，先生聽說宋查理常常對旁人詛咒：我一生還沒被如此傷害過，我自己的女兒和我最要好的朋友。然後先生睜開眼睛，看見的是黃興那張坦蕩蕩的面孔，有時候，先生眞羨慕他，早早就死了，不必目睹日後那些謀殺、謀反、謀刺，「孫氏理想，黃氏實行」，先生一度還爲這種說法大發雷霆，一旦孫黃並列，而黃氏實行，顯得自己只會作夢，甚至作夢以自娛！現在先生即將跨越生與死的界線，他的意氣盡消，他喪氣地想著或許眞因爲少了黃興，他的理想愈看愈像是空想。克強不會怪自己吧！當年，自己太急切，總認定討袁如果早幾個月著手，勝負結果就大不相同。爲了這意氣之爭，後來在東京組織中華革命黨，與黃興鬧到不相往來。這一刻回想，黃興是對的，當時反袁的兵力確實不足恃。就算到現在，希望之光還不知道在哪裡呢！記起了令自己畢生扼腕的挫敗，先生無端地又憤懣起來。「請轉告中山先生愼勿驅虎進狼」，這是黃興與別人信上寫的，眞以爲自己跟日本人作出了什麼樣的祕密約定？這樣的誤會就太過離譜！事實上，兩人從同盟會時期就有爭執，導火線在於先生堅持用那面陸皓東設計的旗當作國旗。陸皓東是先前一齊革命的同鄉至交，首義就遇難了，死時才二十八。這份念舊的心情，黃興難道不瞭解？那件事上，大家同情的是克強，反而怪自己固執專斷，過份自信，並出不遜之言。究竟誰對誰錯？誰是眼光更正確的愛國者？誰才成爲後世惟一記得的名字？——目前迴光返照的一刻，先生想著這場長跑將在他死後繼續進行，可惜的是自己再不能做什麼了，此後，新的作爲難以掩蓋過舊的錯誤，怎麼辦呢？這一瞬，先生爲了不能夠更正往日的錯誤而驚駭起來。他又回憶著自己從來的習慣，總是隨手找些小紙片，把當時的感觸寫下，在手裡搓著，多半從此就不知去向，偶爾紙片重新出現，再讀一遍，往往記不得爲什麼會寫下那樣的一段話。他又沒有記日記的習慣，或者說，他可沒有寫日記……目的卻爲了讓後人景仰的深謀遠慮。那麼，後來的人懂得他嗎？人們怎麼有機會理解眞正的他？他又怎麼能夠爲自己辯護？——孫先生，他革命的事實俱在，他建國的藍圖俱在，只是在關鍵時刻缺了實力，才留下一局殘棋！

這分秒間，先生覺得一切都無趣極了。他轉念想到自己在東京小酒館擊著酒盃吟唱的情形：「世事人情，醒來都是一夢。」果然，一切多沒意思，完了就完了！誰寫的詞？這一刻，先生彷彿看到台上拿把扇子正在彈唱的滔天。滔天當年窮途末路，才去作「浪花節」演員，念的是什麼：「棄刀廢劍執手扇，與鐘同謝是櫻花。」只要想著那滿臉鬍髭的漢子，先生的眉頭鬆開了，心裡生出甘甜的感覺。第一次見到滔天，是在橫濱，多少年了，從那時候起，滔天從沒有背叛過他們的友誼，並且人前人後捍衛先生。日本警察當局、外務省、以及袁世凱都試過用金錢收買滔天，滔天再窮困，卻始終不爲所動。好一個「渴不飲盜泉之水」，滔天居然做的到。想當初，滔天其實在心裡尋找一位英雄，那天早晨，……先生此刻漸漸不再覺得疼痛，反而奇異地沈湎在昔日與好友訂交的愉悅裡。……那天早晨打開窗，魁偉的男人已經站立在院子裡等待，他興沖沖地下樓去，後來滔天倒坦白告訴先生，初見先生有些小小的失望呢，因爲先生穿著睡袍，沒有漱口洗臉，就走出來相見。在滔天眼中，這是失禮的行爲！而先生知道，自己是有不拘小節的本性。前幾年，老同志也怪罪他，信裡說他「不打精神，致生輕慢」。無論如何，滔天仍然包容他，而且給他男人中間赤誠的友情。但是滔天也死了！而在另一個世界裡，滔天得到了他所尋求的絕對自由嗎？……這瞬間，卻好像聽見了此起彼落的喪鐘，記得自己的後事還沒有交代完畢，先生渙散的精神又凝定在一處：他想到南京的紫金山，自己帶著孩子打過獵的地方。還有那幾匹高大的灰色洋馬，每次去山上視察炮台，他總是騎中間最馴良的七號馬。當時先生容光煥發，他正在臨時大總統任上，不久雖然要卸下職銜，比起後來，可是他一生最順意的時光……

屋裡漸漸黯淡下來，他意識到沒有時間了，神志即將遠離自己。先生此刻張開口，依稀聽得出他要求葬在南京，他去打過獵的紫金山麓！他努力睜大眼睛，多少事情來不及看到分曉——他的賭局沒有結束，他的位置無人頂替，他的主義未見實行，而他隱隱知道，自己的直覺其實沒有錯，民氣是站在自己的一邊，不甘心啊！他恍惚地想著。墨水筆已經塞進他手裡，夫人托著他的腕，三份遺書，他勉強一一簽了字。包括剛才讀給先生聽的：「我在此身患不治之症，我的心念，此時轉向你們，……當此與你們訣別之際，……謹以兄弟之誼祝你們平安。」最後呈上來的是這份陳友仁與鮑羅廷起草的「致蘇維埃遺書」，原文是英文，一旦繙譯成中文，陰差陽錯地，竟成爲他的三份遺書裡富含感情的一份！

訣別的時刻，一切都在慌亂中進行！原因也在於沒有人確切知道先生未來的歷史地位，正好像沒有人預見到偉人的生命意義要由死亡來完成！就連替先生執筆另兩份遺囑的汪精衛，都難以預見數月之後，他還得要回溯地記下先生臨終的詳細情景，他將寫出一大串權充史實的感性文句：「不知是呻吟，還是呼叫，『和平！奮鬥！救中國！』一聲復一聲的，約莫至少也有四十餘聲。」以致後世人讀到這裡，頗可以起疑先生用彌留的虛弱聲音唸出來，和平！奮鬥！救中國！這七個字似乎有種說不出的艱難拗口……

同樣地，當眼眶裡最後那顆淚珠終於滑了下來，先生自己也來不及大聲疾呼：制止同志們出於善意，效法不久前逝世的列寧，替先生說出保留遺體的遺言。後來，針劑由先生的右腿注入，再取出毛細管在內的一切臟器，手術中，協和醫院的劉瑞恒院長負責在場檢視。先生身子裡流出一些黃顏色的汁液。清理之後，工作人員以製作動物標本的技術將他重新塡塞。總理不死，總理的精神不死，同志爲了日後瞻仰的可能性，用防腐的藥水浸泡民國第一位偉人！

59

她是微笑著去世的。最後的一瞬，她偏過已經鬆軟的頸子，眼前是老電影一樣溫柔而潤黃的似水年華。她看見自己年輕秀麗的臉龐，就會在虛光中冉冉上升，與消逝的過去連繫在一起：鏡頭裡，她的小弟弟還像當年一樣稚弱，兩條小短腿在笨重的紅木椅上踢呀踢的，正坐在花廳裡等人來拍照。然後是第一次碰見孫文，她發出玉蘭花一樣的純淨光澤，渾身上下那麼的潔白如玉……

網膜上流轉著她今生的摯愛，那裡有她的堅貞，她對關愛過的男人始終不渝。只要再看一眼，就可能再一次重新開始，她記得的是自己乘在人力車上去找孫文，風灌進她的裙子，她一心只希望早點到！

她開始隨風飄盪，脖子上有她此刻唯一的重量，金雞心閃閃發光，是父親送給她的那條項鍊。她伸過手，想要牽住父親的手，當年，她只是不小心鬆開了一瞬——

是不是一條通道？只要再連繫起來，那麼，她微笑地感覺到，自己所追求的情愫就可能在另外的地方、另外的時間繼續存在！

60

當我到了國外，我開始漸漸明白這整樁事情的來由——因爲媽太太自己說的不多，才注定成爲一樁費解的傳說。拼圖遊戲中欠缺一些凹凹凸凸的小方塊，有關媽太太的圖畫暫且拼不完全，眞相埋在一堆纏繞的謎團裡……

譬如說，我記得看過一本宋慶齡基金會出版的刊物，其中關於媽太太過世前幾天的情形，簡直比小說還要小說——

「……一天晚上，一輛黑色的轎車，飛馳向她後海畔的住處。下車的是廖仲愷的兒子廖承志，他快步地上樓，來到宋慶齡病榻前，激動地告訴她這個好消息，黨中央已經莊嚴地接受宋慶齡爲中國共產黨正式黨員。」

書裡，躺在病床上的媽太太聽了廖承志的話：

「睜大眼睛，閃出異采，多年的心願終於實現了。她激動得連連點頭，微笑著。她嘴唇動了動，但說不出話來，她處在高燒的病危之中。

第二天，第五屆全國人大常委會第十八次會議通過決定，授予宋慶齡中華人民共和國名譽主席的榮譽稱號。」

莫非我錯過了什麼？這也是拼圖遊戲裡的一項線索嗎？

●

據說，另有一紙媽太太經由非正式管道流傳到海外的遺書。在「遺書」上，媽太太可就義正詞嚴地寫著：

「建國很快就是三十一年了，爲什麼導致完全意料之外的局面？……

我說的不會太多了，能做的就更少了。……」

哪一種說法才是媽太太生前的肺腑之言？

開了一個費猜疑的玩笑，沒有遺書，對我們姐妹也不曾明言過什麼、或者交代過具體的什麼。沒有人知道媽太太到底怎麼想的！

61

正好像後來一本用英文寫的書上說的：「所有在場的人——以及那些並不在場的人——事後均宣稱在孫先生逝世前扮演了極重要的角色。」

譬如，夫人的姐姐宋靄齡就一再告訴別人，她有機會當著先生的面，講出：「外子孔祥熙必須永久擔負起呵護宋慶齡的責任。」

至於廖仲愷的妻子何香凝,也於爾後記述著曾經答應先生：「孫夫人,我當盡力來保護。」還鄭重地向先生起誓：「海枯石爛，不會忘記。」

副官馬湘則在紀念先生的文章裡寫著，到了最後關頭，先生不忘記交代夫人的是：「馬湘一生跟隨我，必須養他到過世，教育他的子女到大學畢業。」後來，三月十一日深夜，先生正在彌留狀態中，事實上，也就是汪精衛記得先生斷續喊出「和平、奮鬥、救中國」的同時，馬湘聽見先生呻吟的是：「同志們，繼續我的主義，以俄為師。」

後人所以有發揮想像力的空間，也因為當時少見第一手的紀錄，歷史正以某種即興的方式在進行，譬如上海〈申報〉，「北京通信」的欄內就刊了一篇用隨筆手法寫成的「孫寓弔唁記」，文中，那位目擊者還夾敍夾議地惋惜自己的攝影器材毀於兵亂，以致重要的時刻無人在現場照相：「愚所惜者、如此要事、而絕不見攝影者、中山死後、並未留影、蓋皆心亂、無人想及、使非愚之攝影器材、爲齊軍（註：齊燮元）劫去者、今日至少有十數張之新聞照片、饗吾閱者也。」

當時北方報紙上，除了國民黨的訃告之外，有關先生逝世的消息其實不多。主要的理由是先生並不受北方輿論重視，人們把他看成不肯服輸的黃昏老人，最多興起一陣失敗英雄的惆悵。大家的眼光集中在一觸即發的中原大戰，決勝雙方的戰將是胡景翼與憨玉琨。先生斷氣同一日報紙上，除了照例有小兒路迷、小偷被偷、車夫納妾、少婦忤逆、妓館減價、犬竟產豬……的各種軼聞，倒詳細刊登了班禪抵京第一天的大菜單，早茶就有麥皮粥、火腿蛋、炸魚、牛肉扒等等，這時候的班禪喇嘛，正預備請求段執政交涉收回外蒙。然後是張作霖壽誕後，張學良往各客棧答謝的消息。

直到先生逝世第三日，報上總算出現了段執政以中山首創共和、有功民國，決定頒給治喪費六萬元的報導。從俄國，史達林發出官樣文章的唁電，史達林本人正在歡欣的情緒中，他剛收到捷報，白軍領袖——謝米諾夫元帥方才投降。至於同一版的報紙有關先生的篇幅中，最大的廣告是「仁丹」總行刊登的悼詞，「仁丹」企業負責人森下博特別提到與先生之間的私誼：「閣下於民國二年親臨大阪『仁丹』總行之際，余歡迎到私宅，交杯言歡，追昔撫今，故人何在？」而令人尤其驚異的是，那一顆顆小小的銀色口服錠當年能治百病，甚至包括性病。盒子的商標上是先生親書的「博愛」二字，細字則印著「仁丹」是淋病梅毒的斷根新藥。

閣上了京津的報紙，偏遠地區顯然無法立刻得知先生病逝的消息，自許華佗再世的各位神醫還在當地的報上爲先生試擬藥方：大刺刺地建議活血清熱之劑以調之，此病之癒咸有望焉！

至於外國的報紙，英國〈泰晤士報〉最充滿善意，標題是光明之失敗，慨歎先生是個失敗以終賫志以歿的人。巴黎的晚報則批評先生思想不合現狀，常作空論。日本各報的「社說」，都對先生的革命精神讚譽有加，東京的幾家大報一向對情勢估計的最準確，預言道今後國民黨的分裂已成定局。

在台灣，日本統治下，台北「有志社」召集同志，在港町文化講座開追悼會。文獻中記載：「前一日傳會中幹事至警察署去，命將已做好之弔歌作廢，不得在會場唱，又將做好弔辭削去一百多字，又命當日會場不准演說。」因此一九二五年四月十一的〈台灣民報〉上，就不平而眞情地印著：「什麼弔歌不可唱，弔辭要檢閱。……哎，一偉人的死，我們台灣人不該放聲大哭？怎麼也不該呑聲滴數點的悲傷淚嗎？」

沒多久，北方報紙的時人行蹤版面裡，左右時局的諸公又開始了另一波祝壽活動。群英齊集岳州，這次是爲了三月底吳佩孚的誕辰！

62

旅程結束的時候必然遇到死亡，而死亡最重要的意義是讓旅程再從頭回溯、甚至重新開始嗎？

打個呵欠，我從窗子裡看出去，外面已經是新的一天，天邊露出了灰灰的曙光。我望著草地上藍白相間的帳篷，爲這個大日子已經作好準備。蔦蘿編結出心的形狀，花架一路攀連成長長的走道。

當我踩著玫瑰花瓣步向走道另一端等待我的辛遜，我將換過新的姓氏、開啓嶄新的一頁。拉下窗簾，現在我要倒在床上小睡幾個鐘頭。讓我把媽太太的畫冊先闔起來，但我知道，沒有完，媽太太的故事沒有說完，包括我在內，後世人們的追尋才剛剛開始，……關於她一生的傳奇事跡——不會，就此封進了這本書裡！

（經典版評述）
歷史人物的絕對孤寂之境
——重讀平路的《行道天涯》

楊照

孫中山和宋慶齡形成強烈對比，不止是年齡上一老一少的對比，更重要的是走過一生方式的對比。當然，這種對比要等到宋慶齡也確定走完一生後，才會清楚浮現。

對平路而言，在《行道天涯》中清楚呈現的強烈對比，是兩個人的生命選擇。孫中山最大的特色，恐怕也是他一生中最大的困擾，是他有太大的選擇空間，他總是在做著選擇，總是必須在很短時間內，近乎即興地對眼前未來有所判斷，前一個判斷又立刻帶來下一個等待判斷的難局如是飄盪反覆。宋慶齡恰巧相反，她一生就做過一個自主的選擇，奔向孫中山，這一項選擇決定了她是誰，也就決定了之後她再也無法從「孫夫人」身分逃離的命運。

孫中山的多重、即興選擇，來自於他的邊緣身分。廣東最南邊的農村長大，沒有參加過科舉考試，甚至沒有受過像樣的傳統教育。青少年期在夏威夷、香港度過，先是混跡在僑鄉、接著回國後接觸的又是洪門、三合會一類的幫會組織。

這樣的人沒有定義的身分，可是偏偏孫中山卻又有著再頑固不過的目標，再大而無當不過的自我想像。他要的，是救中國；他想像的，自己是個英雄。於是爲了成就救中國的英雄事業，他到處奔走，用盡了各式各樣的方法。不像康有爲、梁啓超，更不像李鴻章、袁世凱，孫中山走的，是眞正沒有軌道可以依循的路，他永遠在嘗試，永遠在摸索。

所以在同時代人眼光中，孫中山是個最善變、最難捉摸的人。難以捉摸，因爲大部分時候孫中山自己都不知道下一步要怎麼走。他最大的本事是應變，畢竟以他的身分、他的社會位置，根本不太能去主動創造什麼，但他機靈敏銳地隨時觀測來到身邊的機會，隨時攫抓運用。

一直到他去世，他對自己及中國的未來沒有一絲確認。從廣州北上去開「國民會議」，要談南北統一，但他人才到天津，講好的「國民會議」沒有了，變成幾個軍閥頭頭坐下來談的「善後會議」，連這樣的事，孫中山都控制不了！

孫中山也不太整理、收拾自己走過的路、做過的事。他不寫日記，他不同階段留下來的自敘自傳說法多所矛盾。他對於現實自我的歷史缺乏興趣，他著迷的，是未知的未來，是可以不顧如何實現問題的跳躍式大夢。

顯然，是這樣做夢、多變的孫中山吸引了宋慶齡。孫中山的背景和宋家多所重疊，孫中山和宋慶齡的父親宋查理私交甚篤，更重要的，孫中山自我戲劇化的本能，不恤一切編織夢想迷惑他人同時迷惑自己的風格，多麼像個長不大的男孩！

然而孫中山絕對想不到（而且他可以不用理會了），年輕宋慶齡也絕對想不到（但她卻必須以數十年的生命來承擔）的，是孫中山身後聲名與形象的變化。

一個能言善道、善於演戲應變、時時刻刻做著渺遠夢想的人，在很短的時間內，被改造、被凝定下來，罩上了道貌岸然、規矩方正的面具，同時他所做過的事被硬生整編入一套嚴格的公式裡，環環相扣，像是天啓命運所決定的，不是出於自由意志的選擇。

孫中山被「聖化」了，被剝奪了一生中犯錯的可能性，換句話說，這套「正確」、「神聖」公式裡容納不下的部分就都被無情、果決地刪除掉了，豐富、熱情、充滿慾望與衝動的孫中山，被改寫爲一個天生的革命領袖，除革命無它，除了一條直通通的革命道路外，沒有走過其他道路。

更糟糕的是，這樣一套公式還要配合後續國民黨的發展，把孫中山的一生搓來捏去，符合不同方面的不同需要。

受到強烈影響，卻又不在鬥爭奪權現實裡的，是宋慶齡。她從此背負著「孫夫人」的頭銜，而且隨著變動的孫中山身後形象，被賦予了種種要求、限制。她失去了選擇自由，不只是沒有自由「做自己」，甚至也沒有人依照自己的感覺與記憶去做「孫夫人」的自由。

那是一種什麼樣的生命！宋慶齡最早還試圖反抗，以捍衛孫中山路線的態度，反對蔣介石領導，但這樣的作法，反而讓她更深陷入「孫夫人」的角色中，在新中國成立後，更加沒有選擇的空間了。

平路恆常對女性自由的掙扎、悲劇，格外敏感；她也恆常對權力、書寫改造形象的過程，極感興趣，孫中山和宋慶齡生前身後的糾纏故事，會吸引她的投入，也就不意外了。

意外的是平路用來鋪陳這兩人生命糾纏故事的敘事架構。書名叫《行道天涯》，聽來蒼茫寬闊，實質上小說從頭到尾哪裡沒去，寫的是孫中山與宋慶齡兩段各自走向死亡的歷程。中間相隔超過半世紀，一前一後反覆穿插，平路陪伴兩位歷史人物一步步走向、並走入死亡。

這不是件容易的事。小說的結局是兩位主角的死亡，沒有任何懸疑可能，而且每一個段落都比前一個段落更陰暗、更悲鬱，推動這樣的情節設計，還要讓讀者維持閱讀興趣，遠比想像的困難。

甚至比主角一開始就死了，都還難寫。死去了的主角可以被懷念，也就是可以被生者用活著的記憶擁抱，那裡就有了溫度，會有惟死亡、惟永遠離別才能刺激出的特殊、詭異的熱情。《行道天涯》最前面讓一個稱呼宋慶齡爲「媽太太」的神祕敘述者開場，轉達的就是這樣一種「倖存者的熱情」。

然而從第十章開始，平路放掉了那倖存者的口吻，讓宋慶齡自身堂皇且鬼魅地登場。於是兩條朝向死亡的絕望平行線形成了，孫山中與宋慶齡隔著時空，用最寂寞的方式走向死亡。

兩人甚至無法攜手相伴。宋慶齡死時，孫中山墓木已拱，當然不能陪他。然而孫中山北上一步步走向死亡過程中，雖然年輕的宋慶齡就在他身邊，平路卻冷酷地讓他們在小說中幾乎沒有任何實質互動。陪著孫中山的，只有仍在日益敗壞中的北方政局，以及莽撞、飄浮的一生片斷迴光記憶。他活在自己一個神奇的獨立空間中，又隱隱聽見妻子在隔壁的哭聲。

晚年的宋慶齡也活在這樣一個既眞實又魔幻的獨立空間中。她看不到、摸不到任何血肉活人，反覆播映的舊電影可能比最接近她的郁郁、珍珍更眞實、更明確。

原來，他們兩人都已經先懸浮在這樣的空間裡，才進入死亡。造就如此既眞實又魔幻的絕對孤獨空間的理由不一樣，但那迷霧隔絕的效果卻是相同的。原來，他們都不是從現實生境走入死域，而是靠死亡才終結了這種絕對孤寂，因而在他們的死亡盡頭，我們讀到的不是傷悲、痛苦，竟是一點點的愉悅，替他們總算解脫所感覺到的愉悅。

寫出了歷史人物不得不走入的那種孤獨情境，是《行道天涯》眞正的成就，是平路眞正的看家本領。

國家圖書館出版品預行編目資料

行道天涯/ 平路著. -- 二版. -- 臺北市：
聯合文學, 2010.07
232面；14.8×21公分. --（文叢；489）

ISBN 978-957-522-719-7(平裝)

857.7　　96014008

聯合文叢 489

行道天涯

作　　者／平　路
發 行 人／張寶琴
總 編 輯／李進文
主　　編／張召儀
資深美編／戴榮芝
照片提供／平　路
校　　對／馬文穎　平　路
業務部總經理／李文吉
行銷企劃／許家瑋
發行助理／簡聖峰
財 務 部／趙玉瑩　韋秀英
人事行政組／李懷瑩
版權管理／張召儀
法律顧問／理律法律事務所
陳長文律師、蔣大中律師
出 版 者／聯合文學出版社股份有限公司
地　　址／(110)臺北市基隆路一段178號10樓
電　　話／(02)27666759轉5107
傳　　真／(02)27567914
郵撥帳號／17623526聯合文學出版社股份有限公司
登 記 證／行政院新聞局局版臺業字第6109號
網　　址／http://unitas.udngroup.com.tw
E-mail:unitas@udngroup.com.tw
印 刷 廠／鴻霖印刷傳媒股份有限公司
總 經 銷／聯合發行股份有限公司
地　　址／(231)新北市新店區寶橋路235巷6弄6號2樓
電　　話／(02)29178022

出版日期／1995年3月　初版（共十四刷）
2010年7月　二版
2017年11月8日　二版二刷第一次
定　　價／300元

ISBN 987-957-522-719-7（平裝）　